KU-657-868

NAÏS

MARCEL PAGNOL
de l'Académie française

NAÏS

PRESSES POCKET

© *Marcel Pagnol, 1974.*

ISBN 2-266-00422-0

PERSONNAGES

MM.

TOINE : *Fernandel*
FRÉDÉRIC : *Raymond Pellegrin*
M. ROSTAING : *Arius*
MICOULIN : *Henri Poupon*
L'INGÉNIEUR : *Blavette*

Mmes

NAÏS : *Jacqueline Bouvier*
Mme ROSTAING : *Germaine Kerjean*

PREMIÈRE PARTIE

PRÈS DE MARSEILLE

LES TUILERIES
DE SAINT-HENRI

Dans un atelier, Toine, qui est bossu, reçoit des briques qui sortent des moules. Un gamin s'avance, dans le bruit des machines. La conversation se fait en criant.

LE GAMIN

Toine!

TOINE

Vouei. Qu'est-ce que c'est?

LE GAMIN

M. l'ingénieur veut te parler. Il a dit que passes au bureau en sortant.

TOINE

Tu veux dire M. Honoré?

LE GAMIN

Oui, M. Honoré.

TOINE

Tu lui diras que je l'emmerde. Je n'ai rien à lui dire. Qu'il me foute la paix. Va-t'en!

Le gamin, stupéfait, s'en va. La sirène sonne. C'est midi. Les machines s'arrêtent. Mêlé aux ouvriers, Toine sort de l'usine. Il s'en va le long d'un trottoir de l'Estaque. Il est soucieux, et marche vite. Une voiture automobile le dépasse et s'arrête. Un homme jeune et bien vêtu en sort, et vient vers lui. Toine n'a pas l'air content.

L'INCONNU

Toine, pourquoi n'es-tu pas venu au bureau?

TOINE

Vous aviez quelque chose à me dire, monsieur l'ingénieur?

L'INGÉNIEUR

Pourquoi es-tu si bête de m'appeler monsieur l'ingénieur? Tu ne te souviens pas que nous étions ensemble à l'école de Saint-Henri, non? Tu ne me tutoyais pas, quand nous étions seuls, jusqu'à lundi dernier?

TOINE

Allons, Henri, ne dis pas de bêtises. Tu l'as bien regardée, Naïs, n'est-ce pas? Tu as bien vu que c'est un soleil?

HENRI

Elle est certainement très jolie.

TOINE

Elle est plus que jolie. Elle est belle. Alors comment voudrais-tu que j'aie le toupet d'être amoureux d'elle, moi, Toine, le bossu de Saint-Henri? Il faudrait vraiment que j'aie perdu la tête!

HENRI

Elle est toujours avec toi. Ça doit lui plaire.

TOINE

Elle est toujours avec moi parce qu'il faut bien qu'elle parle à quelqu'un, et que son père lui défend de parler aux autres. Il est méchant comme une gale, son père. Des fois, il lui donne des coups de bâton.

HENRI

Qui t'a dit ça?

TOINE

L'autre jour, elle était pleine de bleus sur les jambes. Des bleus épais comme mon doigt. Elle me les a fait voir. C'est une brute, le père Micoulin. Il est tellement méchant que par moments il en devient fou... Il est jaloux de sa fille pire que si c'était sa femme. Mais il la laisse sortir avec moi, parce que moi, je suis un ami d'enfance. Et puis que, en sortant de l'usine, je l'accompagne, parce que je vais travailler au jardin de Micoulin... Et puis, de sortir avec moi, ça ne compte pas, ça ne risque rien, tu penses! Un bossu!

HENRI

Les bossus, il ne faut pas trop s'y fier. Le duc de Lauzun était bossu.

TOINE

Oh çà, je sais que dans la corporation, il y a eu des gens très bien, des ducs et peut-être des princes : mais c'est pas ça qui les redresse.

HENRI

Mais le duc de Lauzun, c'était un séducteur. Il a eu plus de cinq cents maîtresses!

TOINE, *frappé.*

Cinq cents maîtresses? Ah oui. Parce qu'il était duc, et qu'il avait des sous!

HENRI

Pas du tout! Il a séduit des princesses qui étaient beaucoup plus riches que lui! Et il a épousé, en secret, la sœur du roi.

TOINE

Et il était bossu?

HENRI

Bossu.

TOINE

Un bossu comment? Un grand bossu, ou un petit bossu?

HENRI

Un bossu ordinaire.

TOINE

Et il plaisait aux femmes?

HENRI

A toutes les femmes.

TOINE, *pensif, mais rayonnant.*

Quand même! Eh bien tu vois, je ne le savais pas. Pourtant, les gens qui ont de l'amitié pour moi auraient dû me le dire.

HENRI

C'est parce que je t'aime bien que je te le dis.

TOINE

D'habitude, tu comprends, dans les romans que je lis, des fois, des romans d'amour que j'achète aux kiosques, chaque fois qu'on fait la description de l'amoureux, toujours il est droit, svelte, élancé... Et alors, petit à petit, moi j'avais fini par m'imaginer... Tu me comprends?

HENRI

Mais oui, je te comprends.

TOINE

Oui, et puis, les gens quand ils parlent d'un beau garçon : ils disent toujours « droit comme un I ». D'abord, les I, c'est pas si droit que ça. Et puis, pourquoi les I ça serait la plus belle lettre de l'alphabet? Et le Z, alors, tu trouves qu'il est vilain, le Z? On s'en sert beaucoup, du Z. C'est vrai qu'il est le dernier de l'alphabet, et que dans les mots, on le met presque toujours à la fin. Sauf dans Zénobie, où c'est lui qui commence.

HENRI

Et dans Lauzun, il y a un Z.

TOINE, *frappé*.

Tu vois! Bossu, et avec un Z, les princesses l'adoraient. Et tu as lu ça dans des livres?

HENRI

Dans l'histoire de France.

TOINE

Dans l'histoire de France! Dans celle que nous avions à l'école. c'est drôle, on n'en parlait pas, de ce joli bossu... C'est vrai que le livre n'était pas gros. Il n'avait pas le temps de tout raconter!

HENRI

Et puis, on ne peut pas tout expliquer aux enfants.

TOINE

C'est vrai... Quoique tu sais... Je ne dis pas qu'il faudrait le dire à tous les enfants. Mais enfin, il me semble qu'un soir, quand la classe serait finie, le maître devrait renvoyer tous les autres élèves, et puis, il garderait les petits boiteux, et les petits bossus, et très sérieusement, là, avec une bonne figure de maître, il leur raconterait l'histoire du duc de Lauzun. Ça serait très utile, Henri. Ça les intéresserait beaucoup plus que Clodion le Chevelu. Quoique Clodion le Chevelu, je veux pas en dire du mal. Mais Lauzun! Il y a des enfants bien tristes, Henri, et qui font semblant de rire tout le temps, parce qu'ils ont tout le temps envie de pleurer... Et j'ai entendu dire : « Il rit comme un bossu. » Si on leur racontait Lauzun, les petits bossus riraient moins souvent, parce qu'ils n'en auraient plus besoin...

HENRI

Je te prêterai un livre qui parle de lui.

TOINE

Merci, Henri. Tu es un ami. Alors, il a épousé la sœur du roi?

HENRI

Oui, la Grande Mademoiselle.

TOINE

La Grande Mademoiselle! Et elle était belle, naturellement?

HENRI

Elle était très belle.

TOINE

Tu vois, comme l'instruction est une belle chose! Tu me le prêteras quand, ce livre?

HENRI

Cet après-midi, à l'usine.

TOINE

Je me demande si Naïs elle a entendu parler de Lauzun.

HENRI

Je ne crois pas. Mais j'ai l'impression qu'elle va en entendre parler...

TOINE, *qui rit de joie et qui rougit.*

Ah non! Pas moi! Un peu de modestie, Henri! Ce n'est pas à moi d'en parler... D'abord je ne la verrai pas... Aujourd'hui, elle n'est pas venue à l'usine, parce que c'est le jour où elle va à Aix... Elle va porter des fruits et du poisson à M. Rostaing... M. Rostaing, c'est le propriétaire de la ferme de Micoulin.

HENRI

C'est Rostaing, l'avoué?

TOINE

C'est ça, c'est un homme de loi. Son fils est très gentil... Chaque année, ils viennent ici pour les vacances, depuis toujours, et Frédéric c'est mon ami. Il est étudiant. Tu vois comme c'est drôle. Moi, un pauvre employé des tuileries, j'ai deux amis qui sont beaucoup plus riches et beaucoup plus instruits que moi. Toi, qui es ingénieur, et Frédéric, qui étudie pour être avocat. Ça me plaît beaucoup. J'aime bien avoir des amis qui sont mieux que moi! Comme ça, c'est moi qui profite.

HENRI

Il la loue cher, sa ferme, le père Micoulin?

TOINE

Il ne donne pas de sous : M. Rostaing lui paye même la moitié des frais, et ils partagent la récolte... Ça ne produit pas grand chose, naturellement. C'est pour ça que Micoulin est aussi pêcheur. Il a un joli bateau, qui s'appelle *Naïs,* et il va poser des jambins et des filets. Ça, ça lui rapporte un peu plus... Lauzun! Aquéou Lauzun! Ça, il ne faudra jamais en parler à

Micoulin. Il ne me laisserait plus voir Naïs. Il se méfierait.

HENRI

Et il aurait peut-être raison.

TOINE

Non, Henri, non. Il n'aurait pas raison. Elle a dix-huit ans, Naïs. Il faut bien qu'il s'imagine qu'elle n'est pas venue au monde rien que pour recevoir les calottes du père Micoulin! Elle aura bien le droit d'être amoureuse, un jour ou l'autre, et si par hasard ça tombait sur moi — remarque que j'y crois pas! — mais si ça tombait sur ma bosse, eh bien je te jure que je ne la rendrais pas malheureuse.

HENRI

Oh ça, je m'en doute. Tu es la bonté même, Toine.

TOINE

Oh que non! Je ne suis pas méchant méchant il ne faut rien exagérer... Mais la bonté même, ça non. La preuve, c'est que je t'en voulais, à toi...

HENRI

Et maintenant, c'est fini?

TOINE

C'est fini, et c'est bien fini après le beau cadeau que tu m'as fait : Lauzun! Tu penses, Henri, je souhaite que ta fiancée t'adore, qu'elle soit capable de se tuer pour toi, qu'elle ait le cœur qui saute quand elle te regarde. Enfin, qu'elle t'aime... qu'elle t'aime comme j'aime Naïs. Adieu, Henri, je vais manger.

HENRI

A tout à l'heure.

TOINE, _de loin._

Henri! N'oublie pas le livre! Lauzun! Merci.

Il s'en va à grandes enjambées le long du trottoir, au bord de la mer, en disant : « Aquéou Lauzun! »

DANS UN CAFÉ
À AIX-EN-PROVENCE

Des jeunes gens jouent au poker. Autour d'eux, d'autres jeunes gens, et des filles trop maquillées. L'une d'elles est affalée sur l'épaule de Frédéric, qui serre ses cartes contre sa poitrine.

UN JOUEUR

A toi, Frédéric.

FRÉDÉRIC

Plus cent francs.

UNE FILLE

Tu vas fort.

FRÉDÉRIC

J'ai besoin de me refaire. Je perds mille huit cents.

UN JOUEUR

Hier, tu as gagné plus de trois mille.

FRÉDÉRIC

Oui, mais cette grue de Simone me les a pris.

UN JOUEUR

Plus trente.

SIMONE

Dis donc, je te prie de ménager tes expressions. Surtout devant du monde. Je les ai, tes trois mille francs, mais tu oublies de dire que tu m'en devais quinze cents depuis deux mois.

FRÉDÉRIC

C'est vrai. Tu ne me dois donc que quinze cents francs.

SIMONE

Je ne te dois rien du tout. Quand on est un garçon de bonne famille, on fait des cadeaux à sa maîtresse, et on n'essaie pas de les lui reprendre. Cet argent, tu m'en as fait cadeau.

FRÉDÉRIC

Je ne m'en souviens nullement.

UN JOUEUR

Plus deux cents...

FRÉDÉRIC

Tenu.

CHEZ MAÎTRE ROSTAING

Sa femme est debout en face de lui. Il est assez fort, avec une courte moustache qui grisonne légèrement. Sa femme est grande, assez sévère, mais très distinguée. Elle a dû être

très belle. Elle n'a pas l'accent du Midi. Le
cabinet de travail est sévère, mais riche.

Mme ROSTAING

Je me demande s'il ne travaille pas trop.

ROSTAING

Le travail n'a jamais tué personne... Au
moment de mes examens, je travaillais bien plus
que lui. Il m'est arrivé de ne pas dormir plus de
quatre ou cinq heures, pendant des semaines
entières.

Mme ROSTAING

Oui, mais toi, tu es un Rostaing. Tu es de
souche paysanne.

ROSTAING

Tandis que toi, née de Villemonble, tu es le
rameau très aristocratique d'un arbre généalo-
gique qui remonte jusqu'aux Croisades.

Mme ROSTAING

Et j'en suis fière, mais je reconnais que ce
sang noble, qui a tant de qualités, ne résiste pas
à la fatigue aussi vaillamment que le sang
roturier. Frédéric ressemble beaucoup à son
grand-oncle le vidame.

ROSTAING, *pince-sans-rire*.

Qui lui a légué la distinction, la finesse des traits, la hauteur des sentiments et la noblesse de caractère qui honorèrent ce parfait gentilhomme. J'espère toutefois que Frédéric n'a pas hérité de la passion du jeu, qui poussa votre glorieux ancêtre à tricher — sans doute par distraction. Tricherie qui fut la cause d'un duel, dans lequel il perdit la vie.

Mme ROSTAING

Mon cher, c'étaient les mœurs du temps... En tout cas, ce n'est pas le sujet de notre conversation. Je te dis que Frédéric est malade, et qu'avant-hier au soir, en rentrant, il n'a pas voulu dîner.

DANS LE CAFÉ

Ils abattent les cartes.

FRÉDÉRIC

Un carré de rois! Tout ça pour le petit Freddy. *(En ramassant l'argent, à Simone.)* Je ne t'ai rien donné du tout!

SIMONE

Tu ne t'en souviens pas parce que tu étais saoul. Il a fallu que je te passe de l'eau sur la figure à la Fontaine des Quatre-Dauphins...

FRÉDÉRIC

Ça, je m'en souviens assez nettement.

SIMONE

Si je t'avais laissé rentrer chez toi dans cet état... Madame Mère aurait perdu en cinq minutes toutes ses illusions sur toi...

FRÉDÉRIC

Et moi, j'aurais perdu le bénéfice de dix ans d'hypocrisie familiale... J'ouvre... Ça vaut quinze cents francs. Tu me les a barbotés en profitant de mon état d'ivresse, mais tu les as mérités. Je te les donne. Plus deux cents.

SIMONE

Tu es un chou. *(Elle l'embrasse sur la bouche.)*

CHEZ MAÎTRE ROSTAING

Mme ROSTAING

Il m'a dit qu'il avait une assez forte migraine, et il s'est mis au lit sans manger. Il n'a même pas eu la force de faire sa prière. Je suis allée le voir dormir ; il était rouge, il avait une espèce de hoquet, et ses cheveux étaient trempés, comme s'il s'était plongé la tête dans un bassin.

ROSTAING

Je lui dirai de se ménager.

Mme ROSTAING

D'ailleurs, ces programmes d'examen sont absurdes. Ils mettent en danger la santé de nos enfants...

ROSTAING

Ça, ma chère épouse, nous n'y pouvons rien. D'ailleurs, le garçon est plus solide que tu ne crois. Et puis, les vacances ne sont pas loin. Dès le 1er juillet, tu iras t'installer à la Rouvière, chez le père Micoulin, l'air de la mer, tamisé par les pins, le repos sous les oliviers, je crois qu'il n'en faudra pas davantage pour guérir les migraines du cher enfant...

Mme ROSTAING

Oui, ce serait très bien. Mais voudra-t-il
venir? Tu sais qu'il ne peut pas supporter la
campagne...

ROSTAING

Je lui en parlerai, et si je lui donne l'ordre...

Mme ROSTAING

Non, non, pas d'ordre. C'est une nature trop
fine et trop délicate, qu'il serait dangereux de
brutaliser. Je lui en parlerai moi-même, lorsque
j'aurai trouvé comment lui présenter la chose.

ROSTAING

D'accord. *(On frappe à la porte.)* Qu'est-ce
que c'est? *(Entre une maritorne qui doit être la
cuisinière. Mme Rostaing se lève.)* Où tu vas?

Mme ROSTAING

Je vais vérifier l'envoi de Micoulin... Il nous
donne de moins en moins de légumes et il a
toujours une bonne excuse : la grêle, ou la gelée
blanche, ou le mistral... En revanche, il envoie
du très beau poisson...

ROSTAING

L'un compense l'autre...

Mme ROSTAING

Hélas non, mon bon ami. Les légumes, ils sont à nous, et je ne les paie pas. Tandis que le poisson, je le paie. *(Elle sort.)*

DANS LA VASTE CUISINE

Il y a aux murs des casseroles et des bassines de cuivre. Sur une immense table, une corbeille de poissons, recouverts d'algues et de mousse de mer, et un assez grand panier de légumes, d'où sortent de longues queues de poireaux et des branches de céleri. Naïs attend. La maritorne, assise, pèle des pommes de terre. Naïs est très jeune, et une masse de cheveux brillants encadre son visage grave et tendre. Elle est assez coquettement vêtue d'une robe paysanne. Entre Mme Rostaing.

Mme ROSTAING

Bonjour, Naïs.

NAÏS

Bonjour, madame.

Mme ROSTAING

Ah! Voilà les paniers! Eh bien, cette fois-ci, ça m'a l'air mieux que le mois dernier.

NAÏS

C'est à cause de la saison, madame Rostaing. Le mois dernier, il n'y avait pas grand-chose. Tandis que maintenant, c'est réparé. Alors les légumes sont mieux venus.

Mme ROSTAING

Et puis, tu as dû dire à ton père que je n'étais pas très contente du dernier envoi.

NAÏS

Oui, madame. Je lui ai dit.

Mme ROSTAING

C'est peut-être ça qui a fait du bien aux légumes.

NAÏS

Peut-être bien, madame.

Mme ROSTAING, *elle découvre les poissons.*

Voilà qui est très beau.

En effet, la corbeille est pleine de rougets, de poissons de roche, et de rascasses encore vivantes, car on voit remuer leurs épines.

NAÏS

C'est tout pêché de ce matin, madame.

Mme ROSTAING

Amélie, la balance et le livre de comptes.

AMÉLIE

Le livre est dans le tiroir, madame.

Elle va chercher la balance, et l'installe sur la table. Naïs met les poissons dans l'un des plateaux.

DANS UNE RUE D'AIX

Frédéric rentre chez lui, en compagnie d'un camarade.

L'AMI

Où vas-tu maintenant?

FRÉDÉRIC

Je vais me taper un thé chez la mère Crussol. Il y a deux ou trois vieilles filles, son neveu, qui est séminariste, et sans doute un ou deux curés. Si tu ajoutes que la mère Crussol a une gueule de vieux bedeau, tu peux t'imaginer le festival.

L'AMI

Et de quoi ils parlent, ces gens-là?

FRÉDÉRIC

De religion, et de nourriture.

L'AMI

Et toi, qu'est-ce que tu fais?

FRÉDÉRIC

Moi, je suis tout à fait dans le ton. Je parle à voix basse, et quand on discute des mœurs du siècle, je lève les yeux au ciel. Je dis : « Ce sont de malheureux égarés. » Il y a de quoi se taper le cul par terre.

L'AMI

Et tout ça pour être agréable à tes parents?

FRÉDÉRIC

Surtout à ma mère. Mon père est un abruti, mais ma mère est une très brave femme. Elle est un peu folle, évidemment, mais elle m'adore. Et je fais tout ce que je veux, à condition de lui jouer la comédie. Ce n'est qu'une habitude à prendre. Et puis, ça lui fait tellement plaisir!

DANS LA CUISINE

Mme ROSTAING

Eh bien, c'est parfait. Tu diras à ton père que je suis satisfaite.

NAÏS

Merci, madame. Mon père m'a dit de vous présenter ses salutations, et de vous demander des nouvelles de votre santé, et de celle de M. Rostaing.

Mme ROSTAING

Tout va très bien de ce côté-là.

NAÏS

Et aussi de M. Frédéric.

Mme ROSTAING

Frédéric ne va pas mal non plus.

NAÏS

Justement, l'autre jour, mon père se demandait si M. Frédéric était déjà avocat.

Mme ROSTAING

Ton père va un peu vite! Frédéric n'a que trois ans de plus que toi!

NAÏS

Oui, c'est vrai. Moi j'ai dix-huit ans... Alors lui il a vingt et un ans?

Mme ROSTAING

Il les a eus le 1er mars. Il n'est pas du tout en retard pour ses études, mais tout de même! Il ne veut pas plaider avant d'avoir vingt-cinq ans! Est-ce que tu as déjeuné?

NAÏS

Oh oui. Je me suis arrêtée chez ma marraine aux Trois-Lucs. Elle tient un petit restaurant... Chaque fois que je viens, je m'y arrête.

Mme ROSTAING

Eh bien, c'est parfait... Ah! Dis-moi dans quel état est notre villa de la Rouvière.

NAÏS

Elle est très propre, madame. De temps en temps, mon père me donne la clef, et je monte faire un petit ménage, et donner un peu de soleil. Elle est toujours comme si vous alliez venir.

Mme ROSTAING

Il n'est pas impossible que j'aille y passer un ou deux mois, cet été.

NAÏS

Ah bien... Avec M. Frédéric? Je vous demande ça pour préparer sa chambre.

Mme ROSTAING

Fais comme s'il devait venir.

NAÏS

Bien, madame.

Mme ROSTAING

Je t'attends vers le 15 du mois prochain.

NAÏS

C'est entendu, madame. Au revoir, madame, au revoir, Amélie.

AMÉLIE

Au revoir, Naïs.

Naïs sort avec ses paniers.

Mme ROSTAING

Mme ROSTAING

Pour une paysanne, elle est presque bien élevée.

AMÉLIE

Et elle est jolie comme un cœur!

Mme ROSTAING

Malheureusement, chez ces filles de la campagne, ça ne dure pas. *(Elle est en train de compulser le livre de comptes d'Amélie.)* Qu'est-ce que c'est que ça? *(Elle montre une ligne sur le livre de comptes. Amélie met des lunettes en fer.)*

DANS LE HALL
DE LA MAISON ROSTAING

Naïs, qui sort de l'escalier du sous-sol, traverse le vaste hall. Elle regarde les portraits des ancêtres. Près de la porte, il y a un meuble vestiaire. Des chapeaux et un manteau y sont accrochés. Naïs regarde les chapeaux. Il y a un petit feutre léger, qui appartient certainement à Frédéric. Naïs regarde rapidement autour d'elle, puis elle écoute. Sans bruit, elle prend le chapeau, et le flaire longuement. Soudain, une clef tourne dans la serrure. Naïs remet en hâte

*le chapeau à sa place. La porte s'ouvre,
Frédéric paraît. Il referme la porte, et regarde
avec étonnement la jeune fille.*

FRÉDÉRIC, *étonné, mais charmé.*

Naïs, c'est toi, Naïs?

NAÏS

Oui monsieur Frédéric, c'est moi!

FRÉDÉRIC

Oh! mais tu as l'air d'une vraie jeune fille!

NAÏS

C'est que je suis aussi une vraie jeune fille.

FRÉDÉRIC

C'est ma foi vrai! Tu m'impressionnes, tu
sais... C'est extraordinaire... Je n'en reviens pas!
Tu te souviens des vacances, il y a trois ans?

NAÏS

Oh oui, je m'en souviens ..

FRÉDÉRIC

De bien jolies vacances Nous jouions aux
cachettes sous les hangars.

NAÏS

Oui. Je m'en souviens.

FRÉDÉRIC

Mais maintenant, tu es belle, est-ce que tu le sais?

NAÏS

Monsieur Frédéric, vous dites ça pour vous moquer de moi.

FRÉDÉRIC

Tu as déjà un corsage de petite femme... *(On entend un bruit de pas.)* Ma mère! *(A haute voix.)* Eh bien, Naïs, je suis très heureux de vous avoir vue. Faites mes amitiés à votre père et à mon ami Toine.

NAÏS

Je n'oublierai pas, monsieur Frédéric.

FRÉDÉRIC

Est-ce que le pauvre Toine est toujours bossu?

NAÏS

Toujours, monsieur Frédéric.

FRÉDÉRIC

C'est une bien cruelle épreuve que Dieu lui a imposée... Est-ce qu'il travaille?

NAÏS

Il travaille à la tuilerie, avec moi.

FRÉDÉRIC

Eh bien c'est parfait. Au revoir, Naïs.

NAÏS

Au revoir, monsieur Frédéric.

Elle sort. Il referme la porte, et se tourne vers sa mère qui vient d'entrer.

DANS UN PETIT CHAMP D'OLIVIERS

Le père Micoulin, monté dans un arbre, scie une branche. A terre gisent déjà des touffes de ramée. Au pied de l'arbre, un vieux paysan regarde travailler Micoulin. Il a ses habits de dimanche. Micoulin descend de l'arbre.

LE PAYSAN

Mon fils? Tu le connais, mon fils?

MICOULIN

Fernand, il s'appelle?

LE PAYSAN

C'est ça. Fernand.

MICOULIN

Je l'ai jamais vu que de loin. Et maintenant, je le vois encore que de loin : il est là à t'attendre près du portail. Et il tourne et il vire comme un cochon malade.

LE PAYSAN

Il n'a pas osé venir avec moi parce que...

MICOULIN

Parce qu'il a bien fait : je tiens pas à le connaître de plus près.

LE PAYSAN

Pourquoi?

MICOULIN

Parce que.

LE PAYSAN

C'est un brave garçon.

MICOULIN

Tant mieux.

LE PAYSAN

Sérieux et travailleur, et tout. Et surtout fils unique.

MICOULIN

Tant pis pour toi.

LE PAYSAN

Pourquoi tant pis?

MICOULIN

Parce que s'il meurt tu en auras plus!

LE PAYSAN

Et pourquoi veux-tu qu'il meure?

MICOULIN

Mais moi je ne veux pas qu'il meure. Seulement, s'il continue à courir après ma fille Naïs, comme il fait, et s'il s'amuse à sauter la clôture la nuit pour lui faire la sérénade, moi je lui fous deux coups de fusil. Ni plus, ni moins.

LE PAYSAN

Micoulin, écoute-moi! S'il faisait ça dans une mauvaise intention, je te comprendrais et je te donnerais raison. Mais tu vois bien que j'ai mis le col et la cravate : alors tu sais pourquoi je viens!

MICOULIN

Oui, tu viens me dire : Donne-nous ta fille! Eh bien moi, ma fille, je la donne pas! Je me la garde! Toi, ton fils, c'est lui qui se lève quand le mulet a la colique, c'est lui qui fait boire les bêtes, c'est lui qui t'aide à piocher ta vigne. Moi, ma fille, elle me fait la soupe, et elle me tient la maison. Alors, elle restera ici, parce que j'en ai besoin.

LE PAYSAN

Alors, toute ta vie tu vas la garder, elle sera ta domestique?

MICOULIN

Toute ma vie, si ça me plaît. J'avais une jument : elle m'a fait une petite jument. Et cette jument, elle est à moi, parce qu'elle est née chez moi, et que je l'ai nourrie. Eh bien, ma fille, elle est née chez moi, je l'ai nourrie aussi. Alors moi, ma fille est à moi. Et puis ma fille, c'est une enfant, et l'idée qu'un garçon veut se l'emporter, et se la mettre dans son lit, ça je ne peux pas le supporter. Je le supporterai pas.

LE PAYSAN

Micoulin, tu penses qu'à toi. Et ta Naïs, tu es sûr que ça lui plaira tant que ça de rester vieille fille.

MICOULIN

Il faudra bien que ça lui plaise! Il faudra bien! *(Brusquement.)* Et ton fils, il lui a parlé?

LE PAYSAN

Bien sûr qu'il lui a parlé... Un jour, sur la plate-forme du tramway...

MICOULIN

Et il lui a dit quoi?

LE PAYSAN

Qu'il voulait la marier.

MICOULIN

Le petit salaud! Et elle, qu'est-ce qu'elle a dit?

LE PAYSAN

Qu'il fallait le demander à son père.

MICOULIN

Alors, elle le veut pas. Si elle a dit ça, c'est qu'elle ne le veut pas. Si elle le veut pas, il n'y a plus rien à dire. Alors, tu lui diras à ton fils qu'il vienne plus rôder par ici. Rappelle-le-lui. dis-lui bien qu'il est fils unique. Unique.

LE PAYSAN

Bon. *(Il enlève le col et la cravate.)*

MICOULIN

Adieu, et bon vent!

Il ramasse son couteau-scie. et remonte dans l'arbre.

DANS LE JARDIN POTAGER
DE MICOULIN

Toine est assis sous le figuier. et il lit passionnément la vie du duc de Lauzun.

TOINE

Oh la la! *(Un silence.)* Oh mon Dieu! « L'altière princesse, ravagée par une passion furieuse, s'humiliait avec une frénésie de bonheur devant son bourreau... » Son bourreau! Oh la la! S'humiliait avec une frénésie de bonheur! Une frénésie!

A la porte à claire-voie du jardin, Micoulin arrive ; il porte un filet sur ses épaules. Il ouvre la porte, il entre. Soudain, il entend la voix de Toine, qui s'exclame. Il s'approche et le voit.

MICOULIN

Oou!... Tu parles seul, maintenant? Ça te suffit pas d'être bossu, il faut que tu viennes fou?

TOINE

Vous fâchez pas, maître... C'est un livre... C'est Henri qui me l'a prêté... Vous savez, l'ingénieur de la tuilerie... Henri Vernier?

MICOULIN

Et qu'est-ce que tu veux y comprendre, toi, dans un livre d'ingénieur? Allez zou, fainéant. Viens m'aider... Le marsouin m'a fait des trous d'un mètre, je pourrai pas caler ce soir, si on se dépêche pas.

Il est allé sous la treille, devant la maison. Il pose son filet sur un banc. Toine l'a suivi. Il prend sur le rebord de la fenêtre des navettes et une pelote de ficelle. Puis tous deux s'installent.

MICOULIN

Et où elle est, Naïs?

TOINE

A Aix, chez M. Rostaing.

MICOULIN

Je le sais, imbécile. Mais pourquoi elle est pas rentrée? *(Il regarde le soleil.)* Il est six heures et demie.

TOINE

Le train arrive à six heures. Elle va pas tarder, seulement...

Tout en parlant, chacun d'eux a quitté un soulier. Puis, assis par terre, tendant le filet qu'ils accrochent à leurs orteils, ils commencent les réparations. Toine lève la tête.

TOINE

La voilà.

En effet, Naïs entre dans le jardin. Elle s'approche sans mot dire. Elle met ses paniers vides sur le banc, puis elle fouille dans son corsage. Elle en tire quelques billets de cent francs.

NAÏS

Deux cent trente-cinq francs. J'ai dépensé douze francs pour le train, mais elle me les a remboursés.

Micoulin prend l'argent, et le met dans sa poche. Il tend la navette à sa fille.

MICOULIN

Tiens. Et dépêche-toi, moi je vais arroser. Elle t'a pas fait de réflexion?

NAÏS

Si. Elle m'a dit que c'était beaucoup mieux que la dernière fois.

MICOULIN

Tant mieux. Tu as mangé chez Nathalie?

NAÏS

Oui.

MICOULIN

Avec elle?

NAÏS

Oui.

MICOULIN

Tu es rentrée par-derrière ou par le restaurant?

NAÏS

Par-derrière, comme tu m'as dit.

MICOULIN

Une fille n'a pas besoin de traverser un restaurant de charretiers. Je vais arroser.

Il s'éloigne.

TOINE

Elle va bien, Mme Rostaing?

NAÏS

Elle en a l'air.

TOINE

Et Frédéric? Tu l'as vu, Frédéric?

NAÏS

Oui, je l'ai rencontré dans le vestibule. Maintenant, c'est un monsieur.

TOINE

Oh pardi! Bientôt, c'est un avocat, qui parle

devant tout le monde, qui dit du bien des
assassins pour pas qu'on les guillotine. C'est un
beau métier; mais de la salive, rappelle-toi qu'il
en faut! Il t'a parlé?

NAÏS

Oui, il m'a dit bonjour.

TOINE

Tu vois, il est pas fier! Moi, je suis sûr que s'il
venait ici, il me parlerait comme avant. Il
voudrait pas que je lui dise « vous ». Il voudrait
que je lui dise « tu ». Il en a mangé des trous, ce
marsouin! En ce moment, il doit traîner une
belle ficelle au derrière. Ça doit sembler un cerf-
volant sous-marin.

NAÏS

Mme Rostaing m'a dit que peut-être elle
viendrait passer l'été ici.

TOINE

Avec Frédéric?

NAÏS

Oui, je crois.

TOINE, *au comble de la joie.*

O Naïs, qu'est-ce que tu me dis là? Avec
Frédéric? Mon ami Frédéric! Je lui dirai peut-
être pas « tu » le premier jour, parce qu'il aura
le col et la cravate... Mais dès qu'il sera habillé
en saligaud, alors ce sera exactement comme
avant.

NAÏS

Tu sais, ce n'est pas sûr...

TOINE

Mais oui, c'est sûr. Mais oui, c'est sûr...
Mme Rostaing, quand elle dit quelque chose,
c'est qu'elle y pense toute la nuit. Elle parle pas
à l'estourdie, Mme Rostaing... Té, s'il vient,
Frédéric, je lui ferai lire Lauzun.

NAÏS

Qu'est-ce que c'est?

TOINE, *détaché.*

Un livre que Vernier m'a prêté. C'est l'histoire
de France.

NAÏS

Ah, tu t'intéresses à l'histoire de France?

TOINE

Ah oui, pas toute, bien entendu. Ça serait trop long, tu comprends. Mais il y a des passages très amusants, très intéressants. Par exemple la vie du duc de Lauzun.

NAÏS

Oh moi, tu sais, les livres d'histoire... Ça ne me dit guère!

TOINE

Oh mais celui-là te dira beaucoup. C'était l'histoire d'un homme qui plaisait à toutes les femmes. Oui, il a séduit la sœur du roi, la Grande Mademoiselle, et puis Mlle de la Ferté. Tiens, tu vas voir ça : « A la stupeur générale, ce petit gentilhomme de province prit à la cour une place prépondérante, due à la protection des femmes. Dès qu'il parut, un vent de folie amoureuse souffla dans les couloirs de Versailles, les plus altières devinrent les moins cruelles, et se disputèrent publiquement ses faveurs! »

NAÏS

C'est vrai, il y a des hommes comme ça!

TOINE

Je comprends, qu'il y en a.

NAÏS

Des hommes qui ont un charme, une voix qui plaît, une odeur qui vous fait tourner la tête... Et puis qui savent parler, qui savent sourire...

TOINE

Et lui, il savait tout ça... Et pourtant... pourtant... *(Il hésite.)* Il était...

NAÏS

Il était quoi?

TOINE

Il était... Il était... *(Il touche sa bosse.)*

NAÏS

Tu le dis, ou tu le dis pas?

TOINE

Ben, il était... Attention, ton père.

Micoulin s'approche.

MICOULIN

Va mettre le souper sur le feu. Je veux manger de bonne heure. Nous irons caler après : il y a de la lune. Au travail.

*Naïs entre dans la maison. Micoulin a pris la
navette de sa fille et travaille au filet.*

DANS UN BAR

*Sur de hauts tabourets, Frédéric bavarde
avec un autre étudiant. Ils boivent des cocktails
avec de longues pailles.*

L'AMI

Toi, tu n'es pas dans ton assiette...

FRÉDÉRIC

Pourquoi dis-tu ça ?

L'AMI

Tu as un drôle d'air... Une nouvelle maîtresse ?

FRÉDÉRIC

Pas encore.

L'AMI

Mais ça se dessine ?

FRÉDÉRIC

Peut-être. Il y a quelques jours, j'ai rencontré une petite fille adorable... Une espèce de fée... J'ai eu un petit choc... D'ailleurs, je sens que... *(Silence.)*

L'AMI

Riche?

FRÉDÉRIC

Oh pourquoi?

L'AMI

Tu as l'air si mordu que j'ai cru que tu pensais au mariage...

FRÉDÉRIC

Oh! jamais de la vie. C'est la fille de mon fermier!

L'AMI

Ah bon!

FRÉDÉRIC

Figure-toi que pendant les vacances, il y a trois ans, je l'avais embrassée dans les coins... Un petit flirt sans importance. Elle était très jeune... Moi aussi. Seulement, depuis, elle a grandi.

L'AMI

Toi aussi.

FRÉDÉRIC

Eh oui! Et c'est pour ça que je voudrais recommencer les vacances d'il y a trois ans, tu sais dans ma propriété de la Rouvière, près de Cassis... C'est ça que je complote...

L'AMI

Il te faut un complot pour aller te reposer là-bas?

FRÉDÉRIC

J'ai dit souvent à mon père que cet endroit était d'un ennui mortel, et chaque fois qu'il voulait y aller, je refusais de l'accompagner. Si tout à coup, je lui proposais, moi, d'y passer deux mois, ma mère se douterait de quelque chose...

L'AMI

Tu as un esprit bien compliqué.

FRÉDÉRIC

C'est la vie de famille qui est compliquée.
Seulement, je sens qu'avec un peu de comédie, je
vais me faire imposer ces vacances là-bas...

DANS LA SALLE A MANGER
DES ROSTAING

La famille est à table.

FRÉDÉRIC

M. l'archiprêtre a été particulièrement brillant, n'est-ce pas, mère?

Mme ROSTAING

Il est toujours brillant, on ne se lasse pas de
l'entendre.

FRÉDÉRIC

C'est vrai. on ne s'en lasse pas. Quand il a
parlé des zazous, et qu'il a dit qu'ils les voyait
rangés sous les étendards de Satan, c'était
vraiment impressionnant. Non pas que je sois
zazou...

Mme ROSTAING

Certes non... Mais il ne t'a pas trouvé bonne mine.

FRÉDÉRIC

Ah? Il te l'a dit?

Mme ROSTAING

Oui, Mme Crussol me l'a dit aussi.

ROSTAING, *il regarde son fils*.

C'est vrai qu'il a une figure de papier mâché.

FRÉDÉRIC

Les examens approchent. Nous sommes en pleine révision. C'est fatigant, mais tout de même il faut reconnaître que c'est intéressant. Le droit est une belle chose.

ROSTAING

C'est la base de toute civilisation.

FRÉDÉRIC

Tenez. L'ordonnance de 92 sur les murs mitoyens, ça a l'air ennuyeux pour un profane, mais quand on voit ça de près...

ROSTAING

C'est un bijou.

Mme ROSTAING

C'est possible, mais ce n'est pas une raison pour te ruiner la santé...

ROSTAING

Après les examens, il aura le temps de se reposer.

FRÉDÉRIC

Je vous avouerai que j'y pense... Parce que j'ai l'air de faire le fort et l'infatigable... mais dans le fond, je sens que... Non, je ne veux pas dire que ça ne va pas, non, mais que ça va un peu moins bien.

Mme ROSTAING

Tu vois!

FRÉDÉRIC

Ne vous effrayez pas, mère. Je tiendrai le coup jusqu'aux examens, ça, j'en réponds... Mais après, repos complet, pendant un ou deux mois.

ROSTAING

Je suis charmé de te voir raisonnable.

Mᵐᵉ ROSTAING

Il l'est toujours! Dis-moi, mon chéri, où voudrais-tu aller?

FRÉDÉRIC

Je ne sais pas... D'abord, un endroit tranquille, où l'on ne risque pas de rencontrer des citadins.

Mᵐᵉ ROSTAING

Naturellement.

FRÉDÉRIC

Et puis, l'air de la mer, peut-être. Mais pas trop direct... Non, pas trop près de la mer... Il faudrait des pins pour le tamiser... Pour le parfumer... Tu comprends?

Mᵐᵉ ROSTAING

Mais oui, je comprends... Mais dis-moi, mon chéri, et pourquoi nous n'irions pas tout simplement à la Rouvière?

FRÉDÉRIC

Ça serait une idée... Mais oui...

Mme ROSTAING

J'emmènerais Amélie, et pour le ménage, nous aurions Naïs... *(A son mari.)* Tu mangerais au restaurant, et tu viendrais nous voir le samedi...

ROSTAING

Bien sûr...

FRÉDÉRIC

Ce sera charmant, et surtout, ce sera une bonne détente. Malheureusement, il y a encore un mois à passer. On tiendra le coup! Mère, je vous demanderai la permission de me retirer. Demain, j'ai une dure journée... J'aimerais m'endormir de bonne heure.

Mme ROSTAING

Et tu as mille fois raison. Bonsoir, mon petit.

FRÉDÉRIC

Mais vous aussi, mère, il faut aller dormir. Vous dites que ma mine n'est pas bonne, mais vous n'êtes pas tellement robuste vous-même. Couchez-vous de bonne heure, vous me ferez très plaisir. Bonsoir, mère.

Mme ROSTAING

Bonsoir, mon chéri... *(Il sort.)* Cet enfant ne me donne que des satisfactions...

ROSTAING

Espérons que ça continuera.

Mme ROSTAING

Tu crains de le voir changer ?

ROSTAING

Je le trouve peut-être un peu trop sage... Et ça pourrait lui passer d'un seul coup !...

DANS LA CHAMBRE
DE FRÉDÉRIC

Il entre, pensif. Au lieu de se déshabiller, il se coiffe, vaporise de l'eau de Cologne sur ses cheveux, arrange sa cravate. Puis, il prend son portefeuille, compte son argent. Pendant tout ce temps, il écoute ce qui se passe dans la chambre située au-dessus de la sienne. Soudain, il sourit. Il éteint la lumière, ouvre doucement sa fenêtre, saute sans bruit sur le trottoir. Il ferme les volets avec précaution, et s'éloigne dans la nuit.

DEUXIÈME PARTIE

DEVANT LA VILLA
DES ROSTAING

Le père Micoulin monte vers la barrière de son jardin. Il porte sur la tête une malle d'osier. Derrière lui, Naïs porte deux valises. Derrière Naïs, Toine, qui porte une malle d'osier énorme. Il se retourne à chaque instant vers Frédéric et Mme Rostaing, qui le suivent avec des nécessaires de voyage. Enfin, la cuisinière, chargée de paquets, ferme la marche.

TOINE

On me donnerait mille francs que je ne serais pas plus content. C'est vrai, madame Rostaing, mille francs!

Il fait quelques pas puis se retourne de nouveau.

Quand Naïs a reçu la lettre pour demander si c'était pas possible de faire la chambre de Frédéric au rez-de-chaussée, eh bien, c'est moi qui ai tout fait. J'ai gratté les murs, passé la chaux pour les punaises...

Mme ROSTAING

Comment, il y avait des punaises?

TOINE

Énormes. Quand j'ai arraché la tapisserie,
elles sont tombées par terre comme si on ren-
versait un sac de café. Mais il n'y en a plus :
trois couches de chaux et le blanc gélatineux.
Ah! Maintenant, c'est propre! Naïs, elle a passé
le rouge par terre, et puis j'ai repeint les volets.

VOIX DE MICOULIN

Toine, viens m'aider.

TOINE

A quoi?

MICOULIN

A poser la malle.

TOINE

Et comment je fais pour poser la mienne?

*Frédéric et Naïs s'approchent de Toine, et
soutiennent sa grande malle d'osier.*

Mme ROSTAING

Frédéric! Ne fais pas d'effort! Tu es ici pour
te reposer et non pour faire le déménageur!

FRÉDÉRIC

Ne craignez rien, mère.

Une fois la malle déchargée, Toine va aider Micoulin qui essuie son front avec un mouchoir.

Mme ROSTAING *à Naïs.*

Naïs, détachez ces chaises longues... Oui, et portez-les sous le figuier. *(Naïs détache les deux transatlantiques qui étaient attachés sur la grande malle. Mme Rostaing se retourne vers son fils.)* Toi, tu vas me faire le plaisir de t'asseoir ici, pendant que je vais organiser l'installation de nos bagages. Viens ici. Assieds-toi. *(Elle l'installe dans une chaise longue, sous le figuier.)* La grande malle va au rez-de-chaussée, dans la chambre de Frédéric. Les autres vont au premier.

Micoulin et Toine prennent la malle chacun par un bout, et entrent dans la maison, suivis par Mme Rostaing, Amélie et Naïs, qui portent des paquets plus petits. Frédéric regarde autour de lui, sourit, s'installe. Il allume une cigarette. Naïs ressort de la maison. Elle apporte un coussin.

Mme ROSTAING

Naïs, viens avec moi.

Elles entrent dans la maison.

De la terrasse de la villa, Micoulin et Toine observent Frédéric.

MICOULIN, *pas mécontent.*

Il a une tête à crever bientôt.

TOINE

Allons donc! Il est fatigué par les études! Ça vous mange le sang, les études... Mais ici, le bon air, ça va lui changer la figure... Vous allez voir ça dans trois jours!

MICOULIN

Je ne sais pas si c'est les études, mais il a une tête à crever bientôt.

Naïs ressort de la maison. Elle porte un coussin.

NAÏS, *à Frédéric.*

Votre mère m'a dit de vous donner ça.

FRÉDÉRIC

Merci. Mettez-le dans mon dos *(Naïs place le coussin.)* Entre nous, je n'en ai pas besoin. Seulement, ça lui fait tellement plaisir.

NAÏS

Vous n'êtes pas malade?

FRÉDÉRIC

Oh non! A peine fatigué. D'ailleurs j'ai l'impression que je vais me refaire très vite. *(Il la regarde drôlement.)* Si je ne m'ennuie pas trop.

NAÏS

On ne peut pas s'ennuyer quand on n'a rien à faire. Moi, si je n'avais rien à faire, je ne m'ennuierais jamais.

FRÉDÉRIC

Vous travaillez à l'usine avec Toine?

NAÏS

Oui, mais je suis au pointage.

FRÉDÉRIC

Vous ne faites pas de travail manuel.

NAÏS

Non. Mais j'en fais ici. Depuis que maman est morte, c'est moi qui m'occupe de tout.

FRÉDÉRIC

Vous allez continuer à travailler à la tuilerie?

NAÏS

Non. Pendant les vacances, je dois rester ici pour faire le ménage. C'est votre mère qui l'a demandé. Toine aussi, il restera. Il ira faire les commissions avec l'âne. Il couchera dans la cabane des outils...

FRÉDÉRIC

Dites-moi, votre père est gentil avec vous?

NAÏS

Il est avec moi comme avec tout le monde.

La voix brutale de Micoulin retentit.

MICOULIN

Naïs! Où tu es? C'est comme ça que tu travailles?

Naïs, effrayée, court vers la maison. Frédéric la rappelle.

FRÉDÉRIC

Naïs! Dites à votre père que je désire lui parler...

NAÏS

Mais pourquoi, monsieur Frédéric?

Frédéric attend, pensif. Soudain, Micoulin paraît sur la porte, et s'avance vers Frédéric.

MICOULIN

Vous m'avez fait demander, monsieur Frédéric?

FRÉDÉRIC

Oui, parce que j'ai plusieurs choses à vous dire. C'est vous qui venez d'appeler Mlle Anaïs?

MICOULIN

Bien sûr que c'est moi.

FRÉDÉRIC

Vous l'avez appelée d'une voix de stentor...

MICOULIN

Moi?

FRÉDÉRIC

Enfin, je veux dire : vous avez crié si fort que j'ai eu une impression extrêmement désagréable...

MICOULIN

Ça, monsieur Frédéric, je ne l'ai pas fait exprès... Nous autres, à la campagne...

FRÉDÉRIC

Oui, je sais, naturellement. Mais je vous demande de ne plus crier... J'ai beaucoup travaillé cette année, et mes nerfs sont peut-être un peu déréglés...

MICOULIN

Je vous comprends, monsieur Frédéric... Ah, les études, ça vous mène loin dans la vie, mais c'est fatigant... Tenez, moi, quand j'étais petit, je n'ai jamais pu passer mon certificat d'études... Pourtant, j'étais fort. Seulement, les nerfs comme vous dites... Alors, vous pensez si je vous comprends.

FRÉDÉRIC

C'est exactement la même chose.

MICOULIN

Vous venez tirer les filets demain matin?

FRÉDÉRIC

Pas encore, Micoulin. Pas encore. Dans quelques jours, je ne dis pas non...

MICOULIN

J'en ai deux belles pièces de quatre cents mètres et trois douzaines de jambins. Quand vous voudrez vous régaler.

FRÉDÉRIC

Je vous préviendrai... Envoyez-moi Toine, s'il vous plaît.

MICOULIN

Tout de suite, monsieur Frédéric. *(Il part en courant, puis s'arrête et se retourne.)* Vous voulez Naïs aussi?

FRÉDÉRIC

Pour quoi faire?

MICOULIN

Ah bon!

Il rentre dans la maison. Frédéric attend. Toine sort.

TOINE

Vous m'appelez, monsieur Frédéric?

FRÉDÉRIC

Oui, je t'appelle parce que j'ai à te parler.

D'abord, quand nous serons seuls, tu me diras
« tu ».

TOINE

Ça ne vous gêne pas?

FRÉDÉRIC

Ça me gêne que tu me dises « vous ».

TOINE

Parce que je connais ma situation : un pauvre
pastisseur d'argile gluante... Alors, n'est-ce pas...

FRÉDÉRIC

Alors, tu me diras « vous » devant ma mère.

TOINE

Ça, bien sûr, devant votre mère, en te disant
« tu » c'est comme si je la tutoyais. Mais si vous
me permettez que je te tutoie quand je suis seul
avec vous... Je suis tellement content que je ne
sais plus ce que je dis.

FRÉDÉRIC

J'ai envie de faire un petit tour dans la
propriété. Viens avec moi.

TOINE

Et Micoulin, qu'est-ce qu'il va dire, si je me
promène?

FRÉDÉRIC

Ne t'inquiète pas de Micoulin. Ce n'est pas lui
qui commande ici. Le patron, c'est moi.

TOINE

Ah. Et puis, il vaut mieux que je t'accompagne. Le bord de mer est de plus en plus
dangereux... Ça s'effondre de temps en temps.
La mer nous mange petit à petit. Tiens, viens
voir. *(Ils s'en vont tous deux. On les retrouve au
bord de la falaise. Il y a une cabane à dix mètres
du bord.)* Tu vois, c'est ici le danger. Là,
d'abord ne viens pas t'y promener le soir parce
qu'on distingue pas très bien le bord. Et puis, il
y a des sources qui creusent, sans qu'on les
entende. Tu vois le vieux puits? La prochaine
fois que ça tombera à la mer, j'ai dans l'idée que
ça se coupera au vieux puits, à cause de la
source... et la cabane, adieu!

FRÉDÉRIC

Dis-moi, il me semble que le champ s'est
rétréci...

TOINE

Ça fait trois ans que tu n'es pas venu?

FRÉDÉRIC

Eh oui, trois ans.

TOINE

Ah oui! Je me rappelle, après ton départ, une nuit, il en est tombé une grosse tranche...

FRÉDÉRIC

Tu fumes? *(Il lui tend son étui à cigarettes grand ouvert.)*

TOINE

Oui. Seulement, moi je les roule : c'est moins cher. Viens dans la pinède. Je vais te montrer l'endroit où je mets les pièges à lapins, que tu ne te fasses pas pincer les orteils!

Ils arrivent dans la pinède.

TOINE

Tiens, voilà un piège. *(Il montre un passage entre deux touffes de romarin. Mais on ne distingue absolument rien. Frédéric regarde.)*

FRÉDÉRIC

Où donc?

TOINE, *triomphant*.

Hein? Je savais bien que tu ne le verrais pas, tellement c'est bien arrangé! Regarde le fil de fer... Il est là-dessous... On n'y voit absolument rien.. Il y en a six comme ça d'ici au gros pin. Trois à droite, et trois à gauche du sentier... Je prends au moins trois lapins par semaine. Alors, ils sont bons! Pense! Ils ne mangent que du thym et du romarin... Il semble que toute leur vie, ils se préparent exprès pour le civet!

Frédéric s'est assis sur une grosse pierre.

TOINE

Tu es fatigué?

FRÉDÉRIC

Je n'ai plus l'habitude des collines... Tiens, assieds-toi. Et dis-moi un peu, comment ça se passe ici?

TOINE

Qu'est-ce que tu veux dire?

FRÉDÉRIC

Je veux dire la vie quotidienne. Qui est
l'amoureux de Naïs?

TOINE

De Naïs? Elle n'en a pas! Oh ce n'est pas une
fille comme ça! Jamais de la vie!

FRÉDÉRIC

Tu ne le sais peut-être pas!

TOINE

Moi? Je suis toujours avec elle! S'il y avait la
moindre des choses, eh bien, je le saurais! Et son
père la surveille.

FRÉDÉRIC

Et toi, tu as une bonne amie?

TOINE

Eh oui, j'ai une bonne amie.

FRÉDÉRIC

Tiens?

TOINE

Eh oui, tiens! J'ai une bonne amie, tiens!... Elle

n'est pas très très belle, mais elle n'est pas
laide... C'est Marie la fille du chiffonnier de
l'Estaque... Tu la connais pas?

FRÉDÉRIC

Je ne fréquente guère les chiffonniers. Non, je
veux dire : je n'en ai pas l'occasion.

TOINE

C'est à l'usine que je l'ai connue. Elle travaille
à la tuilerie. Figure-toi, il me semblait que je lui
plaisais, parce que souvent je la faisais rire... Je
lui faisais de l'esprit... Mais je n'osais rien lui
dire, parce que j'avais peur des filles... Oui, à
cause de la figure de mon dos... Et puis, un jour,
Henri, l'ingénieur de l'usine, tu le connais,
Henri?

FRÉDÉRIC

Il me semble... Henri Vernier?

TOINE

Oui, c'est ça... C'est un ami. Il me dit que le
duc de Lauzun était bossu. Alors, ça m'a donné
du courage... Alors, pour voir, j'ai essayé avec
Marie... Ça a réussi tout de suite. Ça m'a fait
plaisir.

FRÉDÉRIC

· Et naturellement, tu l'adores?

TOINE

Moi? Je m'en fous complètement. C'était pour voir. Elle, oui, elle m'adore. Et elle le dit à tout le monde. Je peux plus la supporter. C'est pour ça que j'ai été bien content quand Micoulin m'a dit de venir ici... Comme ça, pendant deux mois, je la verrai plus. Elle doit pleurer comme un veau. *(Il rit vaniteusement.)* Pauvre fille! La pauvre! *(Il rit encore.)*

FRÉDÉRIC

Tu es un bourreau des cœurs!

TOINE

Non, non. De « un cœur ». Parce que des filles, j'en connais que si elles m'aimaient, je ne les ferais pas souffrir!

LA NUIT DEVANT LA FERME

·   *Un volet s'ouvre lentement. Frédéric sort, au clair de lune. Il regarde la bâtisse. Il compte les fenêtres, puis gratte doucement à celle de Naïs.*

Il appelle à voix basse : « Naïs!... » Il attend.
La fenêtre s'ouvre sans bruit. Naïs paraît,
décoiffée.

NAÏS, *à voix basse.*

Qu'est-ce qu'il y a, monsieur Frédéric?

FRÉDÉRIC

J'ai envie de te parler, puisque dans la journée
c'est impossible.

NAÏS

Mais maintenant aussi, c'est impossible... Si
mon père s'éveillait...

FRÉDÉRIC

Il n'y a pas de danger. Ce soir, il était éreinté.
Il doit dormir comme une souche... N'aie pas
peur.

NAÏS

Et qu'est-ce que vous voulez me dire?

FRÉDÉRIC

Viens te promener avec moi... Nous irons voir
le clair de lune sur la mer. Viens...

NAÏS

Je voudrais bien, mais je n'ose pas... Et si quelqu'un nous voyait...

FRÉDÉRIC

Personne ne peut nous voir.

NAÏS

Et Toine?

FRÉDÉRIC

Il dort lui aussi! N'aie pas peur.

NAÏS

Vous voulez absolument?

FRÉDÉRIC

Et toi, pourquoi ne veux-tu pas? Dans la journée, chaque fois que je lève les yeux, je te surprends en train de me regarder.

NAÏS

Mais je ne le fais pas exprès.

FRÉDÉRIC

Tu n'es qu'une petite coquette, voilà tout.

D'ailleurs, si tu ne me regardais pas comme ça, je ne serais pas venu à ta fenêtre, mais tes yeux, à midi, m'ont donné rendez-vous pour ce soir... Si tu ne veux pas venir, je rentre chez moi...

NAÏS

Ne vous fâchez pas, monsieur Frédéric... Ne vous fâchez pas contre moi... Laissez-moi le temps de passer ma robe. Allez m'attendre sous le gros olivier.

FRÉDÉRIC

Tu viendras, au moins?

NAÏS

Eh oui, puisque je vous le dis. Ne faites pas de bruit... (*Il s'en va sur la pointe des pieds.*)

SOUS LE GROS OLIVIER

Frédéric attend, étendu au clair de lune, un brin de paille entre les dents. Naïs paraît, silencieuse comme une ombre, les pieds nùs.

FRÉDÉRIC

Viens t'asseoir ici... Si tu restes debout, on risque de te voir... Viens ici...

Elle s'assoit assez loin. Il se rapproche.

FRÉDÉRIC

Dis-moi, c'est vrai que tu n'as pas d'amoureux?

NAÏS

Oui, c'est vrai. Qui vous l'a dit?

FRÉDÉRIC

C'est Toine.

NAÏS

Vous parlez de moi avec Toine?

FRÉDÉRIC

Souvent. D'ailleurs, il faut que je me surveille, sans ça je parlerais de toi sans cesse avec tout le monde.

NAÏS

Pourquoi?

FRÉDÉRIC

Tu ne le devines pas?

NAÏS

Oh si, je devine... Je devine que vous dites la même chose à toutes les filles... Et que toutes les filles vous croient. Et moi aussi, je vais vous croire...

Il s'approche. Elle recule.

FRÉDÉRIC

Tu as peur de moi?

NAÏS

Oh non, je n'ai pas peur de vous. Même si vous me dites des mensonges, ça me fera plaisir de les entendre...

FRÉDÉRIC

Pourquoi te mentirais-je?

NAÏS

Parce que je suis la fille du fermier, et que, à Aix, il y a des belles demoiselles, qui sont bien habillées, et qui savent danser...

FRÉDÉRIC

Naïs, est-ce que je suis à Aix?

NAÏS

Pendant trois ans, vous y étiez...

FRÉDÉRIC

J'y étais pour mes études.

NAÏS

Et, pendant les vacances?

FRÉDÉRIC

Sais-tu pourquoi je ne suis pas venu?

NAÏS

Oui, parce que vous étiez mieux ailleurs.

FRÉDÉRIC

Non, je ne suis pas venu à cause de toi. (*Elle rit.*) Tu peux rire, mais c'est la vérité. J'avais peur de toi. J'avais peur de t'aimer. Souviens-toi : il y a trois ans, pendant les vacances un jour, je t'ai embrassée...

NAÏS

Oui, c'était dans le grenier. Il pleuvait. Et le lendemain, tu es parti...

FRÉDÉRIC

Et ce baiser, j'y ai pensé longtemps... C'était un souvenir brûlant, qui m'empêchait de travailler.

NAÏS

Si c'était vrai, tu serais venu en chercher d'autres...

FRÉDÉRIC

C'est justement ce que je n'ai pas voulu. Par honnêteté. Je pensais ce que tu as dit tout à l'heure. Je pensais : « C'est la fille du fermier. Elle est sage... Je n'ai pas le droit de lui faire du mal. Il faut l'oublier... »

NAÏS

Ça n'a pas dû être bien difficile...

FRÉDÉRIC

Ça a été long, mais j'avais presque réussi...

NAÏS

Lorsque j'allais à Aix, porter des vivres, je ne t'ai jamais rencontré chez toi. Une fois, je t'ai vu, à travers la vitre d'un café. Tu jouais aux cartes, et avec vous autres, il y avait de sales filles, qui étaient très jolies, et qui avaient des cheveux brillants.

FRÉDÉRIC

Mais au printemps, par hasard, je t'ai rencontrée dans le corridor. Je t'avoue que je n'y pensais plus... Le temps... Mes études... Et puis, quand je t'ai revue si belle, alors j'ai fait semblant d'être malade, et j'ai dit à ma mère : si nous allions à la Rouvière pour me reposer? Mais c'est pour toi, pour toi seule, que je suis venu.

NAÏS

Tu parles du 30 septembre, mais tu ne te souviens même pas la date...

FRÉDÉRIC

En vacances, on ne pense pas aux dates. Mais je revois ce jour comme si j'y étais... Tu étais assise au milieu du grenier vide, avec les jambes croisées, tu lisais un vieux livre tout déchiré... Je me suis approché par-derrière, tu ne m'as pas entendu...

NAÏS

Tu crois?

FRÉDÉRIC

Je t'ai mis la main sur les yeux... Comme ça... (*Il refait le geste.*) Tu n'as rien dit, tu n'as pas bougé. Et puis... (*Brusquement il renverse Naïs en arrière, et lui donne un long baiser.*) Et voilà. C'est comme ça que ça s'est passé...

> *Soudain, on entend dans la nuit le cri aigu d'un lapin pris au piège. Frédéric tressaille.*

FRÉDÉRIC

Qu'est-ce que c'est?

NAÏS

Un lapin qui a crié. Elle est prise au piège... Pauvre petite bête... C'est méchant, les pièges. Ça me fait peur... (*Elle se bouche les oreilles. Frédéric la prend dans ses bras.*)

DANS LA CABANE

Toine allume une bougie.

TOINE

Ça y est! Encore un bon civet qui se fait remarquer! (*Il enfile son pantalon, et s'en va, pieds nus, dans la nuit.*)

DANS LA PINÈDE

Toine, qui était baissé, se relève. Il porte le lapin mort, qu'il vient d'assommer d'un coup de poing. Il s'en va, pieds nus, le long du sentier. Soudain, il semble avoir entendu quelque chose. Il écoute. Il quitte le sentier. Il s'avance avec précaution à travers les broussailles. Il est très ému. Soudain, il demeure pétrifié. Au-dessous de lui, il voit Naïs et Frédéric enlacés. Il cache sa figure dans ses mains, il se plie en deux comme un blessé. Il s'éloigne, il tombe à genoux par terre, il sanglote.

SOUS L'OLIVIER

Naïs et Frédéric. Soudain, Naïs le repousse, et bondit sur ses pieds, terrorisée.

NAÏS

Quelqu'un! Cache-toi! Vite, cache-toi!

Frédéric se glisse dans une broussaille. Naïs, sans faire de bruit, se glisse entre les romarins, elle aperçoit Toine.

NAÏS

Toine!

Il lève la tête, hagard. Il la regarde, et esquisse un faible sourire.

TOINE

C'est toi, Naïs? Qu'est-ce que tu fais là? Tu prends le frais?

NAÏS

Et toi, qu'est-ce que tu fais?

TOINE

Un lapin... C'est un lapin... Il s'est pris au piège... Il a crié... Alors ça m'a réveillé... Voilà... Tu... Tu rentres te coucher?

NAÏS

Non.

TOINE

Si ton père savait que tu es dehors... C'est pas prudent, tu sais, Naïs...

NAÏS

Je sais... Écoute, écoute, Toine... A toi je peux dire la vérité.

TOINE

Qué vérité? Moi, je la sais, la vérité... Il fait
trop chaud, alors tu es sortie pour prendre le
frais, profiter du clair de lune... Le clair de lune,
c'est le plus joli, et les gens en profitent jamais...
Seulement, si ton père avait la même idée, et s'il
vous trouve dans les ruines, ça pourrait mal
tourner... Remarque, Naïs, ce que tu fais, ça ne
me regarde pas... C'est ton affaire, tu es assez
grande pour faire ce qui te plaît. Seulement, si ce
n'est qu'une fantaisie, une amusette, eh bien
moi, il me semble que le danger est plus grand
que le plaisir...

NAÏS

Oh Toine, tu sais bien que je ne suis pas une
fille qui perd son temps à des amusettes... Je
l'aime...

TOINE

Tu l'aimes d'amour? (*Elle dit oui de la tête.*)
Comme ça, si vite?

NAÏS

Oh! Je l'aime depuis toujours.

TOINE

Depuis toujours? Mais il y a trois ans que tu
ne l'as pas vu!

NAÏS

Pendant ces trois ans, j'ai pensé à lui chaque jour... Et chaque nuit...

TOINE

Même quand tu te promenais avec moi?

NAÏS

Même quand je me promenais avec toi.

TOINE

Je m'en suis jamais aperçu... Pourquoi tu me l'as pas dit?

NAÏS

Ce ne sont pas des choses qu'on puisse dire... Et puis c'était encore vague, tu comprends... Un peu comme un rêve...

TOINE

Et maintenant, c'est plus comme un rêve?

NAÏS

Et maintenant, c'est comme un rêve qui est devenu vrai...

TOINE

Et tu es heureuse?

NAÏS

Je me sens belle...

TOINE

Alors, bon, retournes-y, puisque c'est ton bonheur! Va te rouler dans l'herbe, va...

NAÏS

Pourquoi tu me parles méchamment? Tu ne m'aimes plus?

TOINE

Qu'est-ce que tu espères de Frédéric?

NAÏS

Mais je ne pense pas à demain. Je suis si heureuse...

TOINE

Moi ce que je dis c'est pour toi. Pour que tu ne te fasses pas d'illusions.

NAÏS

Puisque je suis heureuse, ce n'est pas une illusion... Je suis si heureuse... Écoute, Toine, tu n'as pas sommeil, toi, n'est-ce pas?

TOINE

Oh moi, le sommeil depuis longtemps, je l'ai perdu... C'est vrai, je dors guère.

NAÏS

Eh bien, tu vas aller près de la maison, sans faire de bruit.

TOINE

Bon. Sans faire de bruit. Et puis?

NAÏS

Et puis tu regarderas la fenêtre de la chambre de mon père... Si tu vois qu'il allume la bougie, ou si tu le vois sortir, tu crieras, tu feras quelque chose... Tu lui raconteras n'importe quoi... Alors, nous aurons le temps de rentrer, en faisant le tour...

TOINE

Parce que tu retournes dans les ruines?

NAÏS

Oh oui... Oh oui, j'y retourne...

TOINE

Jusqu'à quelle heure?

NAÏS

Quand il fera jour, tu viendras nous le dire.

TOINE

Quand il fera jour, il faudra que je te le dise?

NAÏS

Oui, parce que moi, je ne m'en apercevrai
pas...

TOINE

Mais si ton père se réveille, et s'il va dans ta
chambre?...

NAÏS

Elle est fermée à clef.

TOINE

Bon. Écoute, Naïs, il faut que je te dise...

NAÏS

Écoute, demain, demain. Je n'ai pas le temps.
(Elle s'enfuit dans la nuit.)

*Toine demeure immobile. Il pleure, il tient
son cœur à deux mains. Il chancelle et murmure : « Mais qu'est-ce que je fais avec ce lapin*

mort? Ah! Oui, il s'est pris au piège. Il a crié, ça m'a réveillé, il s'est pris au piège... Il est mort, il souffrira plus. Bon. » *Il respire profondément, avec un grand effort douloureux. Il passe sa main sur ses yeux.*

TOINE

Tiens, maintenant, je pleure... A quoi ça sert? Bon. Il faut surveiller Micoulin... Allez, va surveiller le père pendant que la fille là-bas dans les ruines... Allez, vas-y, Lauzun... Monte la garde. Ah oui, « Tu es mon frère »... Moi son frère... J'aimerais mieux... Allez, Lauzun... Fais pas de bruit. Surveille et tais-toi.

Il est arrivé près de la maison. Il s'assoit sur une grosse bûche. Il fixe la fenêtre. De temps à autre, il se tourne involontairement du côté des ruines. Et sans s'en apercevoir, il pleure.

DANS LA CUISINE
DE MICOULIN
DE TRÈS BONNE HEURE
LE MATIN

Micoulin met ses souliers. On entend chanter Naïs dans le corridor. Elle chante : « Je donnerais Versailles, Paris et Saint-Denis... » Il écoute, hargneux. Naïs entre.

MICOULIN

Qu'est-ce que tu as de chanter comme ça, toi?

NAÏS

Je ne sais pas. Je ne fais pas exprès.

MICOULIN

Il faut que tu sois bougrement contente pour chanter sans le faire exprès...

Naïs ne répond pas; elle fait chauffer le café.

MICOULIN

Tu ne peux pas répondre quand je te parle, non?

NAÏS

C'est pas de ma faute si j'ai vingt ans.

MICOULIN, *il montre deux perdrix sur la table.*

Qu'est-ce que c'est que ces perdreaux qui sont sur la table de la cuisine.

NAÏS

C'est Fernand, le fils des Baumettes, qui me les a donnés pour Mme Rostaing.

MICOULIN

Qu'est-ce qu'il connaît Mme Rostaing, ce paysan? Qu'est-ce qui lui permet de faire des cadeaux à Mme Rostaing? Tu mens. Il te les a donnés à toi, et seulement toi, tu dis : « C'est pour Mme Rostaing. » Mais c'est à toi qu'il les a donnés. Et pourquoi?

NAÏS

Il en avait pris six au piège. Alors il m'en a donné deux... Il n'y a pas de mal.

MICOULIN

Oh non, il n'y a pas de mal! Il vient rôder autour de la propriété, sous prétexte de mettre des pièges, mais moi je sais qu'il vient pour toi. Et c'est peut-être pour ça que tu chantes.

NAÏS

Et après?

MICOULIN

Et après? La première fois que je le revois ici, je lui casse un bâton sur le dos. Tu peux le lui dire, à ton galant.

NAÏS

Moi, je me charge pas de lui faire la commission...

MICOULIN

Moi je m'en charge.

NAÏS

Prends garde qu'il prenne pas un bâton plus gros que le tien.

MICOULIN

Quoi? C'est ça qui te ferait plaisir? Que ton galant assassine ton père? Après tu serais libre, pas vrai? Tu ferais ce que tu voudrais? En attendant, profite toujours de celui-là.

Il va la gifler, mais Frédéric est entré.

FRÉDÉRIC

Bonjour, Micoulin!

MICOULIN

Bonjour, monsieur Frédéric! Vous êtes déjà levé?

FRÉDÉRIC

Mais oui. Depuis que je fais la sieste l'après-midi, je m'éveille tous les matins au chant du coq! Naïs, pouvez-vous me donner du café?

NAÏS

Tout de suite, monsieur Frédéric. Je vais le faire chauffer.

FRÉDÉRIC

Le plus tôt possible, s'il vous plaît.

Naïs prépare le plateau.

DANS LE JARDIN

Toine pioche le jardin. Soudain ses mouvements deviennent lents. Il bâille à se décrocher la mâchoire. Il passe sa main sur son front. Il bâille encore. Il ferme les yeux. Il s'endort debout. Micoulin sort et le voit. Il s'approche en grommelant.

MICOULIN

Oou! Tu es devenu fou! *(Il s'approche, il le secoue.)* Oou! Tu dors debout maintenant?

Toine ouvre brusquement des yeux épouvantés, et hurle : « Le voilà! Le voilà! » Micoulin demeure stupéfait. Frédéric s'avance, sa tasse à café à la main.

MICOULIN

Tu es complètement abruti, dis, darnagas?
Pourquoi tu dis : « Le voilà »? De qui tu parles?

TOINE

Je sais pas... J'ai rêvé... C'est un rêve... La tête
me tourne... *(Il s'assoit par terre.)* Ce n'est pas
de la paresse. Mais il faut dire que depuis quinze
jours... Il faut dire que moi, je fais pas la sieste...
*(Il s'endort. Frédéric s'approche. Micoulin a
ramassé un bâton et s'apprête à rosser le dormeur.
Frédéric le retient.)*

FRÉDÉRIC

Non, Micoulin... Laissez-le dormir... Je sais ce
qu'il a... C'est une insolation... Déjà, hier, il se
plaignait d'avoir mal à la tête... Laissez-le
dormir un moment...

MICOULIN

Vous êtes trop bon, monsieur Frédéric.
*(Micoulin hausse les épaules et s'éloigne,
indigné.)*

SUR LA TERRASSE

FRÉDÉRIC

Le pauvre Toine vient de s'endormir d'un seul

coup... Ce soir, nous ne pourrons pas sortir. Il
est épuisé... Ça fait deux semaines...

NAÏS

Écoute, je vais lui dire que nous ne sortons
pas, mais nous sortirons quand même... Nous
n'avons rien à craindre, mon père dort comme
une bûche. Et puis, je ne peux pas dormir une
nuit sans toi... Ce n'est pas possible. Je ne peux
pas.

FRÉDÉRIC

Et puis, après tout, il ne nous tuerait pas...
Hein?

DEVANT
LA FENÊTRE DE NAÏS

*Assis sur un banc, Micoulin répare un filet.
Soudain, il regarde le sol sous la fenêtre. Il se
lève, il l'examine de plus près. Puis, comme un
chasseur, suit la piste de Naïs, jusqu'à l'olivier.
Là, dans l'herbe, la place des deux amoureux
est marquée. Il examine longuement les
empreintes, et soudain, accrochés à une brin-
dille, il découvre plusieurs cheveux de Naïs. Il*

*les prend, il les regarde au soleil. Puis il se
tourne de tous côtés, s'assure que personne ne
l'a vu, et retourne, pensif, vers la maison.*

LA NUIT DEVANT
LA FENÊTRE DE NAÏS

*Elle saute par la fenêtre, et s'enfuit légère-
ment vers les ruines.*

DANS LA CHAMBRE DE MICOULIN

*Micoulin sur son lit est vêtu. Il écoute
Soudain, il s'assoit, puis descend du lit.*

SOUS L'OLIVIER

Naïs est dans les bras de Frédéric.

NAÏS

Je sais bien, mon amour, que tu partiras...

Mais il me reste encore un mois de bonheur... Je
ne veux pas penser qu'il va finir si vite...

FRÉDÉRIC

Pourquoi penser au lendemain? A la fin de la
vie, il n'y a que la mort...

*Dans les broussailles, Micoulin s'avance avec
de grandes précautions, sa hache à la main.
Soudain, la voix de Frédéric l'arrête.*

FRÉDÉRIC

Les filles de la ville ne sont pas intéressantes...
Elles ne savent pas ce que c'est que l'amour,
elles n'ont que des caprices... Tandis que nos
amours sous les étoiles, au bord de la mer, avec
cette odeur de romarin, ce sera le plus beau
souvenir de ma vie...

*Micoulin écarte une branche. Il découvre le
visage de Frédéric, au clair de lune. Il est blême
et stupéfait. Sans bruit, il s'éloigne. Devant la
maison, il s'arrête. Il hésite. Il serre le manche
de sa hache. On peut croire qu'il va retourner
sur ses pas. Puis il murmure :* « Le maître est
le plus fort, même quand il est mort. » *Il
murmure encore :* « Mais avec un peu de
patience... » *Il rentre dans la maison.*

DANS LE PETIT PORT

Toine écope le bateau. A côté de lui, un pêcheur tripote le moteur de sa barque de pêche.

ELZÉAR

Toine? Oh Toine?

TOINE

Vouei!

ELZÉAR

Viens me donner un coup de main! Tu sors pas avec Micoulin?

TOINE

Non. Il va pêcher avec Frédéric. Il a vu que ça m'aurait fait plaisir d'y aller avec eux... Alors, il m'a trouvé du travail. Toujours gentil, Micoulin... Toujours aimable!... Té, les voilà...

Frédéric et Micoulin descendent vers la calanque. Micoulin parle respectueusement mais amicalement à Frédéric.

MICOULIN

Alors, vous savez monter en bicyclette, vous savez jouer au football, vous savez faire le tir à la cible, et vous ne savez pas nager?

FRÉDÉRIC

C'est parce que je n'ai pas l'habitude des bains de mer... Si je reste un quart d'heure dans l'eau, je deviens vert comme un épinard!

MICOULIN

Ça c'est nerveux, monsieur Frédéric. Ça ne veut pas dire la mauvaise santé...

FRÉDÉRIC

Vous nagez bien, vous?

MICOULIN

Comme un pêcheur. C'est-à-dire que je flotte... Et puis, y a pas besoin de savoir nager puisqu'il y a des bateaux? *(Ils arrivent près du bateau. A Toine.)* Alors, ça y est?

TOINE

Ça y est. Il ne fait pas tellement d'eau, vous savez... La fente est mince, mince comme un cheveu... Mais l'eau finit toujours par traverser! Elle a une grosse patience...

Micoulin saute dans le bateau, puis le rapproche du quai.

MICOULIN

Embarquez, monsieur Frédéric. *(Frédéric embarque.)* Et toi, malfaiteur, débarque!

Toine débarque. A ce moment, on voit Naïs qui descend en courant. Elle apporte un foulard.

FRÉDÉRIC

Tiens! On a oublié quelque chose!

TOINE

Oui, elle t'apporte ton foulard...

NAÏS

Monsieur Frédéric, Mme Rostaing a dit de ne pas oublier votre foulard!

MICOULIN

Elle est déjà réveillée, Mme Rostaing?

NAÏS

Non. Mais elle me l'a dit hier soir...

MICOULIN

Ah! Une maman, ça pense à tout.

NAÏS

Alors, quand j'ai vu le foulard en passant dans le vestibule...

MICOULIN

Tu as bien fait, Naïs. Dieu garde que M. Frédéric prenne pas froid au gosier! Pour un avocat, ça serait la fin du monde!

FRÉDÉRIC

Je ne suis pas encore avocat. Dans un an peut-être. Mais pas avant!

TOINE

Surtout qu'il a une belle voix... Une voix qui chante... Vous trouvez pas, Micoulin?

MICOULIN

Et c'est rare!... Allez zou! Allons-y, et nous aurons une grande bouillabaisse pour midi! Une bouillabaisse à nous étouffer! Mettez-vous à l'arrière, monsieur Frédéric. Vous serez mieux...

Il a pris les rames, il sort du port.
Sur le quai, les autres les regardent partir.

ELZÉAR

Ils vont loin?

NAÏS

Ils vont tirer les jambins.

ELZÉAR

Parce que s'ils vont loin, ils auront de la peine
à rentrer.

NAÏS

Pourquoi?

ELZÉAR

Le mistral d'hier n'est pas mort. Il s'est calmé,
parce que le soleil vient de se lever. Mais d'ici
une heure, il peut reprendre.

NAÏS, *inquiète*.

Mon père m'a dit qu'il ferait beau.

ELZÉAR

Ton père a ses idées. Moi j'ai les miennes.
Avec un ciel comme celui-là, moi, sans moteur,
je sortirais pas.

TOINE

Ils ont la voile, quand même.

ELZÉAR

Avec le mistral, ta voile, elle te mène jusqu'en

Algérie. Et en route, tu meurs de faim... Ou alors, si tu veux rentrer en tirant des bordées, chaque fois que tu vires contre le vent, tu risques de chavirer. Et la *Naïs,* d'après sa coupe, elle doit chavirer facilement...

TOINE

Hum. Dans une heure, il sera prêt, ton moteur?

ELZÉAR

Oui, si tu m'aides à le remettre en place. Pourquoi?

TOINE

Si des fois ils pouvaient pas rentrer, nous pourrions aller les chercher. Je vais t'aider. Ne crains rien. C'est une précaution, tu comprends. *(A Naïs.)* Ne t'inquiète pas, je lui donne un coup de main, et je viens tout de suite.

> *Naïs s'en va sans répondre. De temps à autre, elle se retourne, et regarde au loin le bateau qui s'éloigne, et qui diminue rapidement. Toine est assis sur le parapet. Naïs regarde la mer. Elle vient vers lui.*

NAÏS

Qu'est-ce que tu fais. Toine?

TOINE

Je lui prépare des hameçons pour demain.
Ton père lui a donné la folie de la pêche. Il m'a
dit de lui préparer un palangre. Alors, je le fais.
(Il attache des hameçons.)

NAÏS

Toine, j'ai peur.

TOINE

Tu as peur de quoi?

NAÏS

Je ne sais pas... Depuis quelques jours, il me
regarde avec un drôle d'air... Et ce matin, il
avait une espèce de contentement plein de
méchanceté... Regarde comme il l'a mené loin.

TOINE

Pour faire bonne pêche, il vaut mieux aller un
peu loin... Il l'a mené là où il avait placé les
jambins...

NAÏS

Frédéric ne sait pas nager...

TOINE

C'est pas la faute de ton père.

NAÏS

Il a dit qu'il n'y aurait pas de vent, et regarde, le vent se lève...

TOINE

Quand on veut prédire le temps, il arrive souvent qu'on se trompe. Et puis, moi, je te dis tout ça, mais au fond, je ne suis pas très fier... Aussi, c'est ta faute, après tout, c'est toi qui me fais peur.

Naïs regarde la mer avec une vieille lunette marine.

NAÏS

Toine, ils ont monté la voile.

TOINE

Il vaut peut-être mieux risquer un peu pour rentrer plus vite... Avant que le mistral soit trop fort...

NAÏS

Il prépare quelque chose... J'en suis sûre... Vite... Toine, viens à la barque de l'Elzéar. Viens...

Elle descend en courant comme une folle. Toine la suit.

DANS LE BATEAU DE L'ELZÉAR

Toine tourne la manivelle. L'Elzéar détache les amarres.

Debout sur un rocher, Naïs regarde au loin. Et soudain, elle crie : « Toine, le bateau a chaviré. »

Le moteur de l'Elzéar tourne, et son bateau pique droit vers la Naïs.

Naïs, à genoux, prie.

AU LARGE

Micoulin et Frédéric s'accrochent à la barque chavirée.

Le bateau d'Elzéar s'approche. Toine et Elzéar repêchent les deux naufragés.

DANS LE PETIT PORT

Naïs attend, pâle d'angoisse. Le bateau arrive enfin, Frédéric est nu jusqu'à la ceinture. Toine le bouchonne vigoureusement.

TOINE

Naïs, il est sauvé.

MICOULIN

Moi aussi, je suis sauvé. Pourquoi tu ne le dis pas?

TOINE

Oh, mais vous, on sait bien que vous savez nager... Vous êtes marin, vous, tandis que lui, peuchère...

FRÉDÉRIC

Lui, peuchère, il est glacé... Dis donc. Naïs, est-ce que ma mère a vu quelque chose?

NAÏS

Non, monsieur Frédéric. Elle n'est pas encore sortie de sa chambre.

FRÉDÉRIC

Je lui dirai que je viens de prendre un bain.

TOINE

Ce qui sera la vérité.

MICOULIN

Au fond, ce n'est rien de grave... Ce sont des

choses qui arrivent... Le plus malheureux, c'est cette belle bouillabaisse que nous avions : des rascasses comme ça. N'est-ce pas. monsieur Frédéric ?

FRÉDÉRIC

Oui, la pêche était vraiment belle... C'est bien dommage...

NAÏS

Vous n'avez pas réussi...

MICOULIN

Non, cette fois-ci, ça n'a pas réussi, mais moi, je ne me décourage pas. Je réussirai sûrement la prochaine fois.

DANS UN CHEMIN
DE CAMPAGNE

Micoulin, M. Rostaing et Frédéric sont en tenue de chasse. Naïs porte le panier du casse-croûte.

MICOULIN

D'habitude, tenez, monsieur Rostaing, ils

viennent là tous les jours vers les quatre heures précises dans le petit terrain devant la vieille bergerie, et chaque semaine je vais leur porter un peu de blé avec plein de pesottes.

ROSTAING

Tu en as tué beaucoup?

MICOULIN

Si j'avais tiré un seul coup de fusil, j'en aurais tué plusieurs, seulement ils ne seraient jamais revenus, alors maintenant, mes enfants, il ne faut plus parler. Vous, monsieur Rostaing, vous passez par le petit sentier, jusqu'au gros pin près du cabanon. Là, vous vous asseyez. Monsieur Frédéric, lui, il descendra sur la droite jusqu'à la source du petit homme, vous la connaissez?

FRÉDÉRIC

Oui, oui, parfaitement.

MICOULIN

Moi je vais y arriver tout droit dès que vous serez en place, je ferai un petit peu de bruit et ils passeront à droite ou à gauche, ça je n'en sais rien, mais il y aura certainement un de vous deux qui les verra. Toi, Naïs, tu restes là et tu n'avances pas, parce que tu peux faire du bruit,

et puis un accident est vite arrivé. Alors, tu
restes à côté de ton panier.

NAÏS

Vont-ils passer par ici?

MICOULIN

Non, non. Mais quand tu entendras des coups
de fusil, tu peux venir et tu nous aideras à
rechercher le gibier, parce que dans ces broussailles, quand on ne les a pas tués d'un seul
coup, ils sont difficiles à trouver. Allez.

*Ils s'en vont dans la direction indiquée par
Micoulin. Naïs, en se cachant, suit son père à
distance; elle aperçoit le canon de son fusil
dirigé vers Frédéric. Elle s'élance.*

MICOULIN, *à Naïs.*

Imbécile, tu as glissé.

FRÉDÉRIC, *qui arrive.*

Sur quoi avez-vous tiré?

MICOULIN

J'ai tiré en l'air pour faire partir les perdreaux. *(On entend deux détonations).* Ça y est,
c'est votre père qui les a eus. Allez, Naïs, viens
avec nous.

LE SOIR

Naïs est dans sa chambre. Elle est toute pâle, assise sur son lit. Elle attend. Soudain, la porte s'ouvre sans bruit. Micoulin entre. Il a le visage crispé, le regard fixe.

MICOULIN

Ne dis rien, ne fais pas de bruit. Si tu ne dis rien, je ne ferai pas de mal à personne... Moi non plus, je ne dirai rien.

Il s'assoit sur une chaise.

Quand il va venir gratter, tu lui diras d'aller attendre sous l'olivier, comme d'habitude. Parce que moi aussi, j'ai à te parler : mais moi, ça ne sera pas très long.

Micoulin écoute. Un méchant sourire paraît sur son visage.

Le voilà... Il marche sans faire de bruit, comme les voleurs...

On entend gratter au volet. Naïs ne bouge pas.

Réponds-lui. Dis-lui que tu vas venir... Si tu lui dis que je suis là, je fais un malheur tout de suite.

Naïs s'approche de la fenêtre, tremblante.

FRÉDÉRIC, *il chuchote.*

Tu viens, ma chérie?

NAÏS

Pas tout de suite... Va m'attendre là-bas...

FRÉDÉRIC

Je t'aime... Dépêche-toi... Je t'aime...

On l'entend qui s'éloigne.

MICOULIN

Il le dit bien. Et il est pressé... Il semble un chat du mois de mars... Alors écoute-moi bien : si tu dis un seul mot de l'histoire de cet après-midi, moi je tue tout le monde, et après je me fais sauter le caisson. J'ai trois fusils chargés dans ma chambre. Justement à cause de ça. Il y en a un pour les gendarmes, un pour les parents de cette vermine, et dans le troisième, il me reste deux coups : un pour la vermine, et un pour moi. C'est comme ça que ça se passera, si tu dis un seul mot. Tu me comprends?

NAÏS

Et si je ne dis rien, qu'est-ce que tu feras?

MICOULIN

Si tu ne dis rien, ça s'arrangera tout seul; je tuerai pas les autres, je tuerai que M. Frédéric, le petit voyou de la ville, le verrat. Mais je le tuerai pas tout de suite. J'attends l'occasion. Et ça sera un accident.

NAÏS

Et tu veux le tuer, pourquoi?

MICOULIN

Parce que je le tuerai.

NAÏS

Écoute : je ne le verrai plus, je ne lui parlerai plus...

MICOULIN

Trop tard... Maintenant, c'est trop tard. Maintenant, il faut le tuer, c'est comme ça.

NAÏS

Si tu veux, demain, je partirai chez ma marraine... Je dirai à M. Rostaing qu'elle est malade, qu'il faut que j'aille la soigner...

MICOULIN

Ça oui. Tu feras bien d'y aller, chez ta

marraine. Comme ça, tu ne le verras pas
mourir...

NAÏS

Tu sais bien qu'il doit partir à la fin du mois.
Dans douze jours.

MICOULIN

Tu sais aussi le compte des jours. Eh bien,
douze jours, c'est tout le temps qu'il me faut.

NAÏS

Alors, tu veux aller à Aix, devant les juges?

MICOULIN

Oh, non. Moi, les juges, ça ne me plaît pas.
Je te l'ai déjà dit : personne y comprendra rien,
parce que ça sera un accident... C'est pour ça
qu'il me faut un peu de temps... Il faut que je
combine dans ma tête... C'est comme quand on
met des pièges. On peut pas les poser n'importe
où. Il faut combiner... Il ne faut pas que ça se
voie... Alors, je vais prendre le temps de
réfléchir... On l'enterrera au cimetière de Cassis,
et moi j'irai à son enterrement... Je mettrai mon
costume de la ville, celui que j'avais pour le
deuil de ta pauvre mère. Alors maintenant, tu
peux aller le retrouver. Va te rouler dans l'herbe,
et profites-en. Donne-lui bien du plaisir. Tu n'as

pas besoin d'avoir peur : je le sais depuis plus d'un mois... Et deux fois, au clair de lune, je vous ai surpris dans les ruines... J'avais une hache à la main. Et tu vois, je vous ai bien laissés tranquilles... Pas d'imprudence, pas de gendarmes...

NAÏS

Écoute : et s'il voulait se marier avec moi?

MICOULIN

Il te l'a promis? Mais bien sûr qu'il te l'a promis. Alors, ça, c'est encore pire. Ah, le menteur! Ah, c'est comme ça qu'il a détruit une fille honnête. Il te l'a promis? Eh bien, pourquoi il vient pas te demander à ton père? Mais tu le sais bien qu'il ne viendra pas. D'abord, tu mens. Il ne t'a rien promis. Mais moi, je t'ai promis quelque chose et ma parole, je la tiens toujours. A partir d'aujourd'hui, j'habiterai plus dans cette maison. J'irai habiter dans ma cabane de la falaise. Alors, toi, pour tes rendez-vous, ça ne sera plus la peine de sortir la nuit. Tu n'auras qu'à fermer la porte à clef; tu tireras les verrous et puis tu iras le retrouver dans sa chambre. C'était la mienne, et celle de ta pauvre mère : elle n'a pas connu notre malheur. Bonne nuit.

Il sort. Naïs ouvre la fenêtre, et s'enfuit.

SOUS L'OLIVIER

Frédéric attend. Naïs vient s'asseoir près de lui.

NAÏS

Tu devrais partir, mon amour... Tu devrais dire à tes parents qu'il te faut la montagne, le grand air...

FRÉDÉRIC

Avec la mine que j'ai, ça les ferait rire . Dis-moi, Naïs, tu m'as peut-être assez vu?

NAÏS

Moi? Tu sais bien que je passerais ma vie à tes pieds... Et quand tu partiras, tu emporteras tout mon bonheur, toute ma vie... Tu ne sais pas comment je t'aime... Mais j'ai peur pour toi...

FRÉDÉRIC

Tu as peur de ton père parce qu'il te battait quand tu étais petite... Mais moi, il ne me battra pas...

NAÏS

Je suis sûre qu'il se doute de quelque chose...
J'en suis absolument sûre.

FRÉDÉRIC

S'il se doutait de quelque chose, il irait
trouver mon père, et je sais bien ce qu'il lui
dirait.

NAÏS

Il lui dirait quoi?

FRÉDÉRIC

Je ne voudrais pas te faire de peine, mais enfin
il me semble que ton père n'est pas spécialement
le modèle de la délicatesse ou du désintéresse-
ment. Alors, s'il se doutait de quelque chose, il
irait voir poliment le papa Rostaing, et il lui
dirait : « Votre fils a déshonoré ma fille : il faut
qu'il l'épouse. »

NAÏS

Tu ne le connais pas. Il ne demandera jamais
rien.

FRÉDÉRIC

Le papa Rostaing commencerait par se fâcher
tout rouge; il me ferait une petite scène bien

désagréable; ma mère pleurerait tout un après-midi, et finalement, pour calmer la conscience maternelle, on donnerait au papa Micoulin dix mille francs pour te faire une dot. Ce n'est pas très poétique, mais ça me paraît vraisemblable...

NAÏS

Tu ne le connais pas. Il ne demandera jamais rien. Oh! J'ai peur...

FRÉDÉRIC

Viens sur mon épaule, et tu n'auras plus peur... Viens...

LE MATIN,
SUR LA TERRASSE

Frédéric déjeune avec son père, Naïs les sert.

ROSTAING

Tu es bien fraîche, Naïs... Tu es aussi claire que ta pauvre maman... Je l'ai connue, moi, ta maman... C'était la plus jolie fille de Saint-Henri. Et la plus sage...

Micoulin s'est avancé. Il porte une paillasse roulée et des couvertures sous son bras.

MICOULIN

Mais Naïs aussi, elle est sage, monsieur Rostaing. Demandez à M. Frédéric...

ROSTAING

Et qu'est-ce qu'il en sait, Frédéric?

MICOULIN

Il voit bien qu'elle reste toujours à la maison... Elle va jamais courir ailleurs... N'est-ce pas, monsieur Frédéric?

FRÉDÉRIC

C'est la vérité pure...

MICOULIN

Il faut dire qu'elle n'a pas besoin de sortir. Elle a son galant à la maison... C'est plus commode...

FRÉDÉRIC

Je ne comprends pas.

MICOULIN

Parce que vous faites semblant de ne pas comprendre... *(Un temps.)* C'est Toine, son galant! Toine le bossu! Un brave garçon,

monsieur Rostaing. Pour le travail et la gentil-
lesse, il n'y en a pas deux comme lui!

FRÉDÉRIC

Où allez-vous, avec cette paillasse?

MICOULIN

Moi? Je déménage, monsieur Frédéric... Je
vais aller habiter la petite cabane de la falaise...

ROSTAING

Pourquoi?

MICOULIN

Pour ne pas déranger, monsieur Rostaing.
Moi, vous savez, j'aime pas déranger.

FRÉDÉRIC

Mais vous ne dérangez personne, Micoulin!

ROSTAING

Elle est bien mal placée, la cabane... Tu ne
crains pas qu'une belle nuit, la falaise ne tombe
à la mer?

MICOULIN

Oh pas du tout! Pas encore, monsieur Rostaing... Bien sûr, elle finira par y aller... Mais ça

ne tombe que tous les quatre ou cinq ans... et ça nous est arrivé l'année dernière : nous avons encore deux ou trois ans devant nous...

ROSTAING

Toute la propriété finira par y passer!

MICOULIN

Nous ne serons plus là pour le voir, monsieur Rostaing... Mais pour le moment, ça ne risque rien... Et puis, quand ça va tomber, ça prévient plusieurs jours à l'avance, on entend des espèces de bruits, la nuit surtout... Ça gargouille, comme si la terre avait mal au ventre... Alors, on a le temps de tout déménager, même les salades! Et puis un beau jour, on entend comme une explosion.

FRÉDÉRIC

Une explosion souterraine?

MICOULIN

C'est ça, monsieur Frédéric... On dirait une mine dans une carrière... Exactement le même bruit... Et puis, une espèce de tonnerre, et voilà toute une tranche qui s'effondre! Et après, ça laisse une poussière terrible, qui semble de la fumée. Et après, pendant un petit moment, ça sent la poudre.

ROSTAING

La poudre? Tu crois pas que c'est ton imagination qui complète le tableau?

MICOULIN

Oh, que non, monsieur Rostaing... C'est les pierres qui font ça... Si vous frappez très fort deux grosses pierres, l'une contre l'autre, ça fait une odeur qui semble de la poudre... Essayez, vous verrez... Mais là-bas, s'il y avait du danger, je n'irais pas y dormir! Vous venez à la pêche ce matin, monsieur Frédéric?

FRÉDÉRIC

Oui, mais pas en bateau. J'aime beaucoup mieux la pêche à la ligne, au bord des rochers.

MICOULIN

Ah! C'est intéressant la canne, la ligne... Mais il vaut mieux préparer un trou, la veille... Ce soir, si vous voulez, nous irons en préparer un ou deux, et vous verrez ça demain!

Il s'en va, traînant sa paillasse. Frédéric s'étire et bâille. M. Rostaing s'installe dans sa chaise longue.

SUR UNE ROUTE DE COLLINE

Toine conduit le charreton, attelé de l'âne. Soudain, à un tournant, Naïs paraît, elle est échevelée, sa robe vole dans le vent.

NAÏS

Toine!

TOINE

Oou! Qu'est-ce qu'il y a?

NAÏS

Toine, il faut que je te parle... Toine! *(Elle tremble.)*

TOINE

Vouei! Quoi?

NAÏS

Toine, il va le tuer!

TOINE

Qui?

NAÏS

Tu le sais bien. Toine, il va le tuer!

TOINE

Tu l'aimes tellement que tu te fais des idées...
Tu me disais : « C'est comme un rêve. » Ça
c'était le commencement... Maintenant, c'est
plus des rêves, c'est des cauchemars! Allez, hue,
bourrique! Zou! *(Il frappe l'âne.)*

NAÏS, *elle marche auprès de lui sur la route.*

A la chasse, hier, il l'a visé... Il a tiré sur lui...
C'est moi qui ai détourné le fusil... C'est moi qui
l'ai sauvé...

TOINE

Tu le crois, ce que tu racontes?

NAÏS

Je le savais d'avance! Je le surveillais... J'ai
sauté sur lui... Le coup est parti en l'air...

TOINE

Allez, allez! Alors, qu'est-ce qu'il a dit,
Micoulin?

NAÏS

Sur le moment, rien. Mais ce matin, il est venu

dans ma chambre. Il était comme fou. Et il m'a
dit : « Je le tuerai! » Et il le fera. Toine, sauve-
le, dis, sauve-moi...

TOINE

Mais Frédéric, qu'est-ce qu'il en pense?

NAÏS

Il ne sait rien. Mon père a dit que si je le
préviens, il tuera tout le monde, et après, il se
fera sauter la tête... Il est devenu fou, Toine...

TOINE

Et les gendarmes? Si tu en parlais aux
gendarmes?

NAÏS

Il dira que c'est moi qui suis devenue folle. Et
après, il fera le malheur...

TOINE

Alors, Frédéric, il n'a qu'à partir...

NAÏS

Il ne croira jamais qu'il y a du danger... Il ira
disputer mon père, et l'autre le tuera... Toine, tu
n'as pas vu les yeux de mon père... Avec les
autres, il est calme, il a l'air comme d'habitude...

Mais moi, j'ai vu sa figure; c'est terrible, je ne pouvais plus bouger, je ne pouvais plus respirer... Moi aussi, Toine, il me tuera.

TOINE

Franchement, alors, il n'y a qu'à le tuer lui! *(Il regarde Naïs, qui ne dit rien.)* Puisqu'il t'a dit qu'il se tuerait *après,* il vaut mieux le tuer *avant...* *(Naïs ne dit rien.)* Comme ça, ça lui éviterait un crime... Ça lui rendra service! *(Naïs ne dit toujours rien.)* Mais toi, Naïs, qu'est-ce que tu espères, toi, de Frédéric?

NAÏS

Je n'espère rien. Mais je ne regrette rien.

TOINE

Si c'était à refaire, tu recommencerais?

NAÏS

Oh oui!...

TOINE

De toutes façons, mort ou pas mort, il va partir finir ses études puisqu'il va à Paris...

NAÏS

Il y restera un an...

TOINE

Tu t'imagines peut-être qu'il va revenir, les bras ouverts, il te dira : « Ma belle Naïs, maintenant, je suis avocat, et je viens pour te marier! » C'est ça que tu t'imagines?

NAÏS

Non, Toine, non... Je l'aime à la folie, mais je ne suis pas folle... A Paris, il y a des femmes mille fois plus belles que moi... Alors, je sais bien... *(Elle marche, pensive, à côté de lui.)* Toine, tu n'as pas d'amitié pour Frédéric?

TOINE

C'est-à-dire que j'ai de l'amitié pour lui, bien sûr... Mais il a fait des choses que moi, à sa place, même avec une grosse envie de les faire, je les aurais pas faites... Je suis qu'un ouvrier, mais je les aurais pas faites.

NAÏS

Ce n'est pas de sa faute, Toine...

TOINE

Oh non! C'est de la mienne, peut-être...

NAÏS

C'est moi qui ai commencé, Toine... Je le

regardais tout le temps, malgré moi... Je ne
pouvais pas m'empêcher... Je le regardais, et
puis je devenais toute pâle, et puis j'avais les
jambes coupées... Évidemment, il s'en est
aperçu... C'est un garçon comme les autres.
Mais c'est de ma faute...

TOINE

Allons donc! Il est venu ici exprès! Vaï, je suis
bête, mais maintenant, je comprends beaucoup
de choses... Il t'a vue à Aix, un jour, et il s'est
dit : « Vé, la petite Naïs! Maintenant, elle est
presque mûre, comme les pêches du mois de
juin! Ça ferait bien pour mes vacances! » Et il
est venu, sous prétexte de prendre l'air avec le
pull-over et la cravate... Ah! Il a passé des
bonnes vacances!

NAÏS

J'ai été heureuse, Toine...

TOINE

Toi, tu as été heureuse, et lui, il s'est bien
amusé... Voilà toute la différence... Il a eu la
brise des nuits, le clair de lune, et les étoiles...

NAÏS

Les étoiles sont à tout le monde.

TOINE

Naturellement! Moi aussi, je les ai vues, les étoiles. Mais les miennes, elles étaient pas aussi belles que les siennes... Et pourtant, c'étaient les mêmes... Enfin lui, c'est un monsieur... Il ne sait pas nager, mais il n'est pas bossu... Les bossus, on leur dit : « Allez, Toine, surveille la fenêtre! Repêche Frédéric! Défends-le! Étrangle mon père! Allez zou, monte à la guillotine! » Et dans les journaux, on dira : « Toine, le bossu assassin! » Et dans Cassis on dira : « Oh! Ça se voyait venir depuis longtemps! Quand il était petit, il attrapait déjà des mouches pour leur mettre la paille au cul... » Et Frédéric, pour faire l'avocat, du premier coup, il aurait un bon client! Et il dira : « Monsieur le juge, ne le condamnez pas à mort, que peut-être à cause de la bosse, on ne pourrait pas le mettre sous la guillotine! » Et puis, il dira aussi : « Monsieur le juge, ce n'est pas de sa faute! Il a commis ce crime à cause de la férocité des bossus! » Et il me sauvera la vie, et on m'enverra dans les Amériques, où il y a des minestrones de serpents, et des araignées qu'en piquant un homme sur un doigt de pied, ça fait mourir toute la famille. Et toi, la pauvre orpheline, tu auras ton portrait dans les journaux, et on te plaindra beaucoup, et tu deviendras Mme Frédéric... Si c'est ça que tu veux, tu n'as qu'à me le dire franchement : moi, je prends une picosse, ton père je le coupe en deux, et je le finis avec une serpe.

NAÏS

Tu dis des choses affreuses, Toine...

TOINE

Moi, je les dis, mais toi, tu les penses...

NAÏS

Moi, je ne veux pas qu'il fasse du mal à Frédéric... Toine, je n'ai que toi pour le défendre... Toine, tu me vois perdue... Après tout, tu es un homme... Tu ne vas tout de même pas laisser faire un crime après tout...

TOINE

Bien sûr que si je peux l'empêcher... Mais d'abord, moi je crois qu'il ne le tuera pas... Il lui fera peur, peut-être... Peut-être, il lui donnera, sur le coup de la grosse colère, quatre coups de pied au derrière... Mais ça, ça ne serait pas un drame, et ton Frédéric l'a bien mérité... Ça lui fera les fesses, à ton Frédéric...

NAÏS

Tu le détestes, parce qu'il n'est pas bossu...

TOINE

Qu'est-ce que tu dis?

NAÏS

Parce qu'il est beau, et parce que je l'aime, tu voudrais le voir mourir... C'est ton esprit qui est bossu, tout tordu de méchanceté... Ne t'approche plus de moi, ne me parle plus, tu me dégoûtes, tu es tout pareil comme mon père... S'il meurt, mon Frédéric, mon bien-aimé, moi je me jetterai du haut de la falaise, et c'est toi qui m'auras fait mourir.

TOINE

Naïs? Où tu vas?

NAÏS

Bossu, bossu, bossu!

TOINE

Hue! Et voilà, mon pauvre Lauzun, si tu as pas compris, on pourra te faire un dessin... Allez, bourrique! Hue!

Naïs s'est assise sur un parapet. Il la rejoint.

NAÏS

Toine, si Frédéric s'en va d'ici sans qu'il soit arrivé malheur, si tu me veux, tu m'auras.

TOINE

Mais... Si je te veux comme quoi? Comme femme?

NAÏS

Comme ce que tu voudras. Je ne veux pas te mentir; je ne veux pas te faire croire que je t'aime d'amour...

TOINE

Après ce que tu m'as dit, ça serait difficile...

NAÏS

Toine, je n'ai jamais menti à personne. Tu as ma parole... Frédéric, s'il est sauvé, je ferai ce que tu voudras... Voilà.

TOINE

Eh bien, j'accepte. Si tu consens à devenir ma... ma femme, tu sais bien quelle joie ça me fera... Une joie à m'étouffer... Mais c'est pas pour ça que je le ferai, et j'accepterai pas, si tu n'en as pas besoin... Tu comprends? Quand Frédéric sera parti d'ici, tu seras peut-être forcée de prendre un mari... Eh oui, forcée. Et moi alors, je te prendrai, même avec une bosse, ça excusera la mienne...

AU PIED DE LA FALAISE

SUR LE ROCHER

MICOULIN

Ça, voyez, monsieur Frédéric, ça s'appelle « brouméger ». Ça veut dire mettre un tas de saletés dans l'eau pour attirer les poissons... Là, j'ai une tête de mouton pourrie, du mou de bœuf, des tripes de poulets...

FRÉDÉRIC

L'odeur est effroyable...

MICOULIN

Mais c'est ça qu'ils aiment, les poissons... J'ai pétri tout ça avec un peu d'argile, pour que ça ne flotte pas sur l'eau... Ça reste au fond, et ils prennent l'habitude : ils viennent là comme au restaurant. Le matin de bonne heure, surtout... Si demain matin, vous voulez venir vous installer sur ce rocher, avec une grande ombrelle, et une canne de cinq mètres... Je vous apporterai des esques et des mouredus : à dix heures, vous aurez pris une soupe de poisson pour vingt personnes.

DANS LA NUIT

*Micoulin creuse une tranchée près du puits.
Dans sa cabane, Toine réfléchit mélancolique-
ment, à la lumière d'une bougie. Soudain, il
écoute, attentif. Il s'allonge par terre, il colle
son oreille au sol. Sans bruit, il sort et il rampe
dans la nuit. On entend par instants des coups
sourds. Enfin, il voit une faible lueur qui sort du
vieux puits abandonné. Une échelle de corde est
fixée à la margelle. Toine regarde. Micoulin
travaille au fond du puits, à la lumière d'une
lampe électrique. Il se prépare à remonter.
Toine s'enfuit et se cache. Micoulin sort du
puits.*

*Toine revient, il examine la margelle à la
lueur de sa lampe électrique. Entre deux
pierres, une mèche noire est cachée; elle
descend jusqu'au fond du puits.*

TOINE

Une mèche. Et en bas au fond, il a dû mettre
la dynamite... Oh, le bandit! Et quand Frédéric
ira pêcher demain matin, bang! La montagne lui
servira de chapeau... Assassin! Assassin! Va,
heureusement que j'ai pas trop sommeil...
Qu'est-ce qu'il faut faire? Alors?

Soudain, il se décide, et se dirige vers la maison. Il s'assoit. Il surveille la porte.

DANS LA CHAMBRE DE NAÏS

NAÏS

Écoute, Frédéric, je t'en supplie, ne va pas à la pêche ce matin.

FRÉDÉRIC

Pourquoi? Écoute, Naïs, je ne suis venu ici que pour toi, tu le sais bien, mais comme je ne peux pas le dire, il faut bien que je justifie ma présence par divers amusements puérils qui, d'ailleurs, me reposent l'esprit. Ton père a préparé cette pêche pour moi, il a pétri dévotement divers détritus de bêtes mortes avec de la boue, il est venu lui-même placer ces appâts nauséabonds. Si je n'y vais pas, que penserait-il?

NAÏS

N'y va pas, Frédéric. Écoute, je ne t'ai pas tout dit : quand tu seras auprès de lui sur le rocher...

FRÉDÉRIC

Non, pas auprès de lui, il ne vient pas avec moi.

NAÏS

Pourquoi?

FRÉDÉRIC

Je ne sais pas, il m'a dit qu'il se sentait très fatigué, qu'il ne viendrait pas me chercher avant dix heures. Il m'a dit qu'il avait besoin de dormir.

NAÏS

Tiens, pourquoi?

FRÉDÉRIC

Ah! ça, j'en sais rien pourquoi ça, Naïs? Je peux dire que tu m'étonnes, et si je parlais comme Toine, je dirais : « Tu m'escagasses. » Pourquoi ton père a-t-il besoin de dormir aujourd'hui? J'en sais rien. En tout cas, je vais à la pêche tout seul.

NAÏS

Écoute, pardonne-moi, mais je trouve ça tellement étrange. Depuis toujours mon père se lève à cinq heures tous les matins.

FRÉDÉRIC

Raison de plus pour qu'il ait besoin d'un grand sommeil.

NAÏS

N'y va pas, Frédéric, ou alors, si tu veux, vas-y avec Toine.

FRÉDÉRIC

Non, non, laisse dormir ce pauvre Toine, il en a besoin.

TOINE, *à travers le volet*.

Mais non, il n'en a pas besoin, il est déjà réveillé, le brave Toine.

FRÉDÉRIC, *il ouvre la fenêtre*.

Tu écoutes aux portes, maintenant?

TOINE

Non, pas aux portes : aux fenêtres. Je venais te chercher pour la pêche... Mais avant de partir, comme il fait un peu frais... On devrait boire un café bien chaud... Tu crois pas, Naïs...

NAÏS

Oui, je vais le faire chauffer.

Toutes les cannes sont prêtes... Je vais chercher les esques... Elles sont superbes... Donne-
moi un peu ta boîte d'allumettes, c'est pour
fumer une petite cigarette... *(Frédéric lui tend la
boîte d'allumettes.)* Je reviens tout de suite.

Il s'en va, pensif.

DANS SA CABANE

*Micoulin est tout habillé. Il attend, l'oreille
aux aguets, l'œil fixe. De temps à autre, il
regarde par la fenêtre le rocher où Frédéric doit
venir pêcher. Puis, il regarde sa montre. Sur
son visage, éclate une joie mauvaise. Il prend sur
la table une boîte d'allumettes, la vérifie, puis la
met dans sa poche. Il se rassoit sur son lit, près
de la fenêtre. Il attend.*

PRÈS DU PUITS

Toine examine la mèche. Il hésite

TOINE

Après tout, c'est peut-être pas ce que je crois.

Moi, je vois une mèche : je sais pas ou elle va. Je l'allume pour m'amuser. S'il arrive quelque chose, moi, j'y suis pour rien... Après tout...

Il appuie sa cigarette sur la mèche qui commence à fuser. Toine déguerpit à quatre pattes.

DANS LA SALLE A MANGER

Naïs sert le café. Frédéric est assis.

NAÏS

Oh, Frédéric, si par ma faute il t'arrivait malheur..

FRÉDÉRIC

Naïs, ma chérie, tu m'ennuies et tu m'agaces avec tes craintes et tes airs tragiques... Il fait beau, nous sommes jeunes, je vais pêcher avec Toine en écoutant le bruit de la mer. Je suis heureux, et je veux que tu sois contente.

Entre Toine.

TOINE

Voilà les esques. Elles sont belles, c'est des dures... On en mangerait... C'est ça mon café?

NAÏS

Oui, il est sucré.

TOINE

Si ça ne te fait rien, je m'assois un peu, comme un riche.

Il s'assoit. Frédéric qui a fini, le regarde. Toine coupe des tranches de pain.

FRÉDÉRIC

Ne mange pas maintenant : j'ai un casse-croûte que ma mère a préparé... Nous déjeunerons plus tard, sur le rocher... Allons, viens.

TOINE, *il est inquiet. Il attend quelque chose, il regarde du côté de la fenêtre.*

Me bouscule pas. Laisse-moi boire le café. Il fait beau temps, pas vrai ? Un peu frisquet, mais il fait beau... Quelle heure est-il ? Cinq heures moins dix. C'est la bonne heure... C'est la bonne heure pour la pêche. Naïs, donne-moi un peu d'eau-de-vie ? Ce n'est pas pour moi... C'est pour lui... J'ai peur qu'il ait froid...

FRÉDÉRIC

Qu'est-ce que tu as, Toine ? Tu as la fièvre ?

TOINE

Moi? Jamais de la vie. Touche mes mains. Elles sont glacées. Moi, la fièvre? Pas du tout. *(A Naïs qui sert du marc.)* Oui, c'est ça. Un bon petit coup de marc... Bois ça, Frédéric. Un bon petit coup...

Un grondement puissant fait trembler la maison. Tous trois se regardent, interdits.

TOINE

Le tonnerre? Il va pleuvoir. *(Un nouveau grondement.)*

Ils sortent.

ROSTAING *paraît à sa fenêtre.*

La falaise est tombée à la mer... Avec la cabane de Micoulin.

FRÉDÉRIC

La cabane a disparu... Elle a été écrasée par les blocs...

TOINE

Si nous avions été à la pêche, sur le petit rocher...

Mme ROSTAING, *à Frédéric*.

C'est là que tu allais ce matin?

FRÉDÉRIC

Oui, mère... Maintenant, je serais sous cette avalanche...

Mme ROSTAING

Mon enfant, Frédéric, mon enfant, merci, mon Dieu...

TOINE

C'est Micoulin qui avait cho si cette place... Il avait préparé tout depuis deux jours... Il a tout préparé lui-même...

ROSTAING

Hier matin, je lui ai dit : « Est-ce que tu n'as pas peur que la falaise s'effondre? » Et il nous a démontré qu'il n'y avait aucun danger...

FRÉDÉRIC

Il a dû y avoir tout un travail souterrain... Il ne pouvait pas le savoir...

TOINE

Eh non. Il n'était pas dessous... Et maintenant, il y est. C'est terrible. Pauvre Micoulin! Il aimait tant la pêche, il aimait tant la chasse... Il aimait tant M. Frédéric... Maintenant, il est là-dessous, tout escrabouillé... Enfin, il ne souffrira plus...

ROSTAING

Je vais descendre à la gendarmerie pour faire les déclarations.

TOINE

Vous savez, monsieur Rostaing, la déclaration, ils ont dû l'entendre... Pour moi, ils seront ici avant midi...

FRÉDÉRIC

Et puis, il faut alerter tous les voisins, avec des pioches et des pelles...

TOINE

Pour quoi faire? Pour le déterrer? Et après, il faudra l'enterrer? Vous savez, pour moi, monsieur Rostaing, il sera jamais plus enterré que ça, pauvre Micoulin!

DEVANT
LA MAISON DE MICOULIN

TOINE

Naïs, Frédéric est sauvé. Mais ce n'est pas grâce à moi. Alors, tu ne me dois rien.

NAÏS

Ce n'est pas grâce à toi?

TOINE

Comment veux-tu qu'un bossu fasse tomber une falaise? C'est un accident de la nature. Ou alors, c'est lui qui avait tout préparé pour la partie de pêche... Et le destin l'a fait tomber dans son piège... Si c'était comme ça, ça serait juste... Mais tu sais ce que tu m'avais promis. je n'y compte pas. Tu ne me dois rien. Tiens, regarde Frédéric. Il est tout vivant. Il a peut-être des choses à te dire... Je m'esbigne.

En effet, Frédéric s'avance vers Naïs. Toine disparaît. Frédéric vient s'asseoir près d'elle, regarde autour de lui, et la serre dans ses bras, pensif

DANS LA SALLE A MANGER
DE Mme ROSTAING

TOINE

C'est à cause de Naïs, madame Rostaing...
C'est pour ça que je me suis permis... N'est-ce
pas, Naïs... Toute seule maintenant... Qu'est-ce
qu'elle va faire?

Mme ROSTAING

C'est évidemment bien triste... Elle n'a aucune
ressource... Est-ce qu'elle ne travaille pas aux
tuileries, d'habitude?

TOINE

Oui, mais ce n'est guère un travail pour elle.
Et puis, à son âge, toute seule dans la vie...

ROSTAING

Mais toi, tu ne veux pas rester ici? Si tu veux,
je t'offre la place de ce pauvre Micoulin...

Mme ROSTAING

Avec vous, Naïs ne serait pas seule... Et puis,
elle est en âge de se marier.

TOINE

Oui, bien sûr, naturellement...

ROSTAING

Si tu prends la place de Micoulin... Elle a beaucoup d'affection pour toi.

TOINE

Oui, de l'affection. C'est bien le mot.

ROSTAING

Et peu à peu, tu sais, l'affection... Ça se transforme... Elle ne te plaît pas, Naïs?

TOINE

Oh oui, elle me plaît. Bien sûr... Mais le genre d'affection qu'elle a pour moi, ça pourrait se transformer... Si moi je me transformais le premier... Il faudrait me repasser la bosse. Et malheureusement, c'est pas possible...

ROSTAING

Alors, que pouvons-nous faire?

TOINE

J'avais pensé que, puisque Frédéric va partir pour Paris, et que Naïs est si gentille, si douce...

peut-être Mme Rostaing la garderait comme femme de chambre... Elle a du goût, Naïs... Et puis, c'est une compagnie... Une très jolie compagnie... Elle a de la conversation, quand elle est en confiance. Alors, voilà. Et moi, je resterai ici, si vous le voulez bien.

ROSTAING

Eh bien, Toine, tu es un brave cœur... pour ce qui est de toi, je te garde ici. Pour Naïs, nous réfléchirons... Voilà le brigadier de gendarmerie. Je vais faire ma déposition. *(Il sort.)*

Mme ROSTAING

La voiture sera là vers trois heures. Il faut que je prépare nos bagages.

TOINE

Et pour Naïs, madame Rostaing, j'ai oublié de vous dire quelque chose. Et j'ai bien fait de l'oublier, parce que je préfère vous le dire à vous toute seule. Naïs, si vous l'emmeniez, ça enlève-rait du souci à Frédéric.

Mme ROSTAING

Du souci? Quel souci?

TOINE

Il l'aime bien, n'est-ce pas?

Mᵐᵉ ROSTAING

Oui, c'est une petite camarade.

TOINE

Naturellement.

Mᵐᵉ ROSTAING

Je n'oublierai pas qu'à douze ans, elle partageait ses jeux.

TOINE

Oui, elle partageait ses jeux... Ils jouaient à
papa-maman...

Mᵐᵉ ROSTAING

Comme des enfants de cet âge...

TOINE

Eh oui... Bien, je crois qu'ils ont continué.

Mᵐᵉ ROSTAING

Ils ont continué quoi?

TOINE

A partager leurs jeux, comme vous dites... Ils
ont même joué aux cachettes... Seulement,
c'était la nuit, dans la pinède... Et quelqu'un qui

ne les cherchait pas les a trouvés. Et voilà, c'est comme ça.

Mme ROSTAING

Je suis certaine que Frédéric a respecté sa petite camarade... Vous les avez vus?

TOINE

Ça ne m'a guère fait plaisir.

Mme ROSTAING

Il s'agissait certainement d'une promenade au clair de lune...

TOINE

Ça a dû commencer comme ça. Mais moi, quand je les ai vus, ils ne se promenaient plus. Je veux dire : ils étaient pas debout... C'était sous les genêts...

Mme ROSTAING

Ils bavardaient?

TOINE

Oh non. Ils auraient pas pu remuer les lèvres...

Mme ROSTAING

Frédéric est incapable d'un acte aussi laid. Un acte qui serait un crime.

TOINE

Eh oui, c'est un crime. Mais ce genre de crime, tous les garçons de vingt ans, ils en sont capables.. Seulement, il y avait les étoiles, le clair de lune et les grillons, et ça c'est terrible pour les garçons de la ville, et les filles de n'importe où. Il paraît que les filles, elles s'y habituent jamais... Enfin! Moi, j'ai l'air de faire des racontars. Des histoires de vilain bossu. Mais ce que je dis, madame Rostaing, c'est pour le bien de Naïs.

Mme ROSTAING

Quel bien peut-elle espérer, cette petite dévergondée?

TOINE

Oh elle, vous savez, elle n'espère rien du tout. Elle ne sait même pas que je vous l'ai dit. Mais moi, j'espère un peu. Un tout petit peu. Parce que je sais que vous allez à la messe tous les dimanches. C'est moi qui vous y ai conduite sur le charreton, même le jour que la pluie emportait la route sous les pieds de l'âne. Les gens qui vont à la messe, quand ça leur rapporte rien, alors moi, j'y ai confiance. Parce qu'ils croient à un tas de choses. Il y a le Bon Dieu, et puis, il y a les anges, et puis, il y a le péché, et puis il y a l'enfer... Alors, c'est pour ça que je vous ai parlé.

Mme ROSTAING

Vous avez bien fait... L'inconduite de Naïs et la sottise de Frédéric ne me forcent pas à faire entrer cette fille dans ma maison.

TOINE

C'est que, madame Rostaing, c'est que les grillons du clair de lune, des fois, aux filles, ça leur fait des enfants! Je ne dis pas que ça soit le cas. Je n'en sais rien, bien entendu... Mais enfin, ça pourrait arriver. Alors, si Naïs reste ici, moi je ferai tout ce qu'il faudra, et je me l'épouserai dès que l'importance de la bosse — encore la bosse — nous forcera de faire la cérémonie. Moi, un enfant de Naïs et de Frédéric, vous pensez si je me le prendrais! Oh oui alors! surtout si c'était une fille... Oh oui, madame Rostaing, je serais assez malhonnête pour ça. Et bien volontiers, et sans remords! Allez! Assieds-toi sur la bosse de Toine! Seulement vous, madame Rostaing vous y avez droit avant moi. Alors je vous dis : « Emmenez Naïs avec vous. Comme ça, vous pourrez la surveiller. » Peuchère, elle n'a pas besoin de surveillance, mais enfin, il vaut mieux. Comme ça, si ce que je me pense arrivait, vous seriez sûre que ça vous appartient; tandis que si Naïs reste ici, dans trois mois, M. Rostaing voudra peut-être pas le croire. Quoique un enfant de Frédéric et de Naïs, on pourra le reconnaître du premier coup d'œil! Ça sera quelque chose à crever l'œil d'un borgne! Enfin, madame Rostaing, moi j'ai tout dit, et je veux pas trop insister pour que vous emmeniez Naïs : parce que le plus drôle, c'est que je l'adore! Je l'adore depuis toujours! C'est ça le plus drôle!

Il rit et pleure à la fois.

Mme ROSTAING

Ne riez pas, Toine. Vous me faites de la peine...

TOINE

Parce que je ris comme un bossu.

Mme ROSTAING

Et ne pensez plus à cette bosse. Vous en parlez beaucoup trop...

TOINE

J'en parle beaucoup, parce que je la remarque souvent. Si je veux dormir sur le dos, j'ai la tête en l'air, comme les tortues. Les tortues, elles ont une chance : c'est qu'elles sont toutes bossues. Tandis que nous...

Mme ROSTAING

Vous, Toine, vous n'êtes pas une tortue, et puisque vous avez confiance en ceux qui remplissent leurs devoirs de chrétien, pourquoi n'allez-vous pas à la messe vous-même? Vous y trouveriez de grandes consolations...

TOINE

J'y allais quand j'étais petit. J'ai eu le premier prix de catéchisme.

Mme ROSTAING

Et maintenant, pourquoi restez-vous sur la place, à m'attendre, au lieu de venir prier avec nous?

TOINE

Parce que depuis que j'ai compris ma bosse, je n'ai plus voulu...

Mme ROSTAING

Compris votre bosse?

TOINE

Je vais vous dire, madame Rostaing : quand j'étais petit, mes parents m'adoraient, et surtout ma grand-mère. J'étais déjà comme je suis, naturellement. Mais moi, je ne le savais pas. Je veux dire que je savais pas la différence qu'il y avait avec les autres : la bosse, c'est traître, ça vous vient par-derrière, on la voit pas... Chez les paysans, il n'y a pas d'armoire à glace, on se voit que dans les yeux de sa mère, et naturellement, on s'y voit beau. Et puis un jour, un voisin, qui était très gentil, m'a dit : « Oh, le joli petit bossu! » J'ai demandé à ma grand-mère : « Qu'est-ce que c'est, un bossu? » Alors, elle m'a dit : « C'est vrai que tu es un joli petit bossu, parce que tu as le dos un peu rond. Mais tu es beau quand même, et c'est même à cause de ça qu'on t'aime bien plus que les autres. » Alors je lui ai demandé : « Qu'est-ce que ça veut dire, un bossu? » Alors, elle m'a chanté une vieille chanson. Je me rappelle pas la musique, mais les paroles, ça disait comme ça : *(il chante)*

Un rêve m'a dit une chose étrange,
Un secret de Dieu qu'on n'a jamais su,
Les petits bossus sont de petits anges,
Qui cachent leurs ailes sous leur pardessus.
Voilà le secret des petits bossus...

C'est joli, mais ce n'est pas vrai. Moi, jusqu'à dix ans, je l'ai cru. Je croyais que les ailes me poussaient. Et souvent, ma grand-mère me chantait la chanson, qui était beaucoup plus longue que ça... Seulement, les grand-mères, madame Rostaing, c'est comme le mimosa, c'est doux et c'est frais, mais c'est fragile. Un matin, elle n'était plus là. Une bosse et une grand-mère, ça va très bien, on peut chanter. Mais un petit bossu qui a perdu sa grand-mère, c'est un bossu tout court. *(Ses yeux s'emplissent de larmes.)* C'est bête, quand même, de pleurer comme ça devant tout le monde.

Mme ROSTAING

Mais chacun a sa croix, mon pauvre Toine...

TOINE

Moi, il faudrait la faire tordue. Mais j'y crois quand même, au Bon Dieu, puisque je crois que vous y croyez. Et si vous emmenez Naïs, moi je porterai un cierge à l'église. Mais des prières, je ne saurais pas. Et puis, au fond, quand on porte une bosse toute sa vie, c'est comme une longue prière : on n'a plus besoin de parler. Alors, Naïs, madame Rostaing? Je l'aime trop, et elle l'aime trop. Il ne faut pas la laisser ici, avec son père sous nos pieds.

Mme ROSTAING

Je l'emmènerai, je l'emmènerai parce que je le

dois. Mais personne, jusqu'à nouvel ordre, ne doit savoir que je sais.

TOINE

Qu'est-ce que ça veut dire, « jusqu'à nouvel ordre » ?

Mme ROSTAING

Jusqu'à plus tard. Écoutez, Toine, allez trouver Naïs, et dites-lui que vous allez rester ici, à la place de son père. Et que, si elle accepte, j'ai l'intention de l'emmener avec moi à Aix comme femme de chambre.

TOINE

Jusqu'à nouvel ordre.

Mme ROSTAING

Je le fais parce que Frédéric part demain pour Paris.

TOINE

Jusqu'à nouvel ordre, merci, madame Rostaing. Merci pour ce que vous faites pour elle. Et aussi, merci pour moi, parce que vous m'avez parlé comme à un monsieur.

Mme ROSTAING

Je vous ai parlé comme à un monsieur, parce que vous m'avez parlé comme un homme. Toine, vous êtes un grand cœur.

TOINE

J'ai peut-être le cœur plus gros qu'un autre, mais je n'y ai pas de mérite, j'ai la place.

Mme ROSTAING

Au revoir, Toine.

Il sort, Mme Rostaing demeure grave et pensive.

SUR LE BANC DU FIGUIER

Nais et Frédéric sont assis.

NAÏS

Toi, Frédéric, ne me dis rien. Tu es le fils d'une riche famille. Tu es beau, tu es intelligent, tu es instruit. Je t'aime, ce n'est pas ta faute. Tu as été assez gentil pour donner un très grand bonheur à la fille de ton fermier. Ce n'est pas une raison pour que tu gâches ta carrière et ta vie. Je te parle sincèrement, du fond de mon cœur.

FRÉDÉRIC

Et toi, tu vas rester seule ici?

NAÏS

Il y a Toine.

FRÉDÉRIC

A quoi peut-il te servir? à quoi? A mener l'âne sur la route... A condition que je force mon père à lui donner la place de Micoulin...

NAÏS

Mon chéri, mon amour, ne pense pas à ce qui peut arriver quand tu seras parti. N'aie ni inquiétude ni remords. Je te remercie pour tout, même pour notre enfance, et pour le souvenir que tu vas me laisser... Je pense souvent, la nuit, si tu n'étais pas venu. J'aurais continué à servir mon père, j'aurais épousé un voisin, je n'aurais rien su de la vie et de ta voix. Le bonheur que tu m'as donné, depuis sept ans...

FRÉDÉRIC

Depuis sept ans?

NAÏS

Oh oui! Quand j'avais onze ans, je t'ai aimé d'amour, et depuis, je vis avec toi. Tout à l'heure, tu vas partir : je vivrai toujours avec toi, pour moi tu seras le goût de la vie. Le bonheur de ces deux mois, ce n'est pas bien gros. Mais c'est comme une tache d'huile sur la mer : quand Elzéar laisse tomber sur l'eau un petit soleil d'huile, tout le port se met à briller... Tu m'as donné tellement de bonheur que les jours de ces vacances ne sont pas assez grands pour le contenir. Ça va couler sur toute ma vie, et c'est pour ça que je te dis merci.

FRÉDÉRIC

Naïs, tu me prends pour un petit saligaud. Et tu as raison. Mais pour toi, je veux devenir un honnête homme, parce que toi, je t'aime.

NAÏS

Ne me le dis pas, si tu as pitié. J'ai du courage, mais pas tant que ça. Tu vas partir tout à l'heure. Parle-moi raisonnablement.

FRÉDÉRIC

Il faut que je termine mes études : mais je reviendrai...

NAÏS

Ça, ce n'est pas sûr, Frédéric...

FRÉDÉRIC

Oui, c'est sûr, je reviendrai. Attends-moi.

NAÏS

Je sais que tu ne reviendras pas, mais ça ne fait rien, je t'attendrai. Je t'attendrai toujours. Mon bonheur, ce sera de t'attendre... Peut-être, un jour, je te verrai passer... Peut-être, un jour... *(Toine paraît au coin de la maison.)*

TOINE

Je vous dérange?

FRÉDÉRIC

Oui.

TOINE

Tant pis. Moi, quand on me dérange, je le dis pas. Tu vas partir, Frédéric. Toute la famille part à quatre heures...

FRÉDÉRIC

C'est justement pour ça que j'ai peut-être quelque chose à dire à Naïs.

TOINE

Mais moi aussi, j'ai peut-être quelque chose à lui dire.

FRÉDÉRIC

Ça l'intéressera peut-être moins. Tu as beau être le duc de Lauzun, mais enfin...

TOINE

Mais enfin, même si je suis le duc de Lauzun, je consens à parler à des paysans, comme elle et toi.

FRÉDÉRIC

Je suis un paysan, moi?

TOINE

Tu ne le mérites pas, mais tu es un paysan quand même. Ton grand-père, il faisait les pois chiches sur le plateau de Valensole. Des pois chiches, des pébrons et des cèbes.

FRÉDÉRIC

Tu dis ça pour m'humilier?

TOINE

Oui, parce que tu n'es pas capable d'en faire autant.

NAÏS

Toine, laisse-nous.

Il se lève.

TOINE

Bon. Je voulais te mettre au courant d'une conversation que je viens de faire avec Mme Rostaing. Mais enfin, du moment que je dérange, je m'en vais.

NAÏS, *elle se lève et le retient.*

Qu'est-ce qu'elle t'a dit?

TOINE

Rien de méchant.

NAÏS

Toi, tu lui as parlé?

TOINE

Énormément. Elle m'a même dit que je parlais trop de ma bosse.

FRÉDÉRIC

Et puis?

TOINE

Et puis, voilà... nous avons aussi parlé d'autre chose. On a parlé de vous.

NAÏS

De nous deux?

TOINE

De lui, et de toi. Et puis de toi, et puis de lui, et puis de moi. Mais enfin, moi, je suis comme notre cher Micoulin : je n'aime pas déranger. Je m'en vais. *(Frédéric le rattrape.)*

FRÉDÉRIC

Toine, Toine, qu'as-tu raconté à ma mère?

TOINE

Elle m'a demandé si je voulais pas rester ici et prendre la place de Micoulin... Alors, moi, j'ai dit oui

FRÉDÉRIC

Tu as bien fait, Toine. J'aime mieux ça. A cause de Naïs... Je suis sûr que tu veilleras sur elle comme un frère.

TOINE

Oui, de loin.

NAÏS

Pourquoi, de loin?

TOINE

Parce que Mme Rostaing, je veux dire ta mère, tout à l'heure, là-bas, sous la véranda, elle m'a dit de dire à Naïs que si elle voulait, enfin si tu veux, elle l'emmènerait à Aix.

NAÏS

Quand?

TOINE

Tout à l'heure, avec toute la famille...

NAÏS

Mais pourquoi?

TOINE

Parce qu'elle a pensé que Frédéric s'en va, à Paris, et qu'alors, elle sera bien seule... Que peut-être Naïs, si on s'occupait d'elle, elle deviendrait comme une dame... Moi, je lui ai dit : « Je ne sais pas si elle voudra, mais je lui en parlerai. » On peut toujours en parler, pas vrai... Ça n'engage à rien...

FRÉDÉRIC

Toine, est-ce qu'elle se doute de quelque chose?

TOINE

Tu sais, moi, les gens instruits, je comprends à peine ce qu'ils disent. Alors, ce qu'ils pensent, pour moi c'est un mystère chinois. Enfin, j'ai fait la commission... A toi de donner la réponse, parce que c'est à quatre heures que toute la famille s'en ira. Moi, je veux pas gêner, je m'en vais...

DEVANT LA VILLA

Dans la voiture, il y a Frédéric au volant, près de lui, Naïs. Derrière Mme Rostaing et son mari. Quelques valises. Elzéar achève d'arrimer une grosse valise derrière.

ELZÉAR

C'est paré, monsieur Frédéric...

NAÏS

Et Toine?

ELZÉAR, *il appelle.*

Toine arrive en courant, avec deux gros bouquets de fleurs des champs. Il se jette sur la voiture.

TOINE

Excusez-moi, madame Rostaing. Je vous apporte la première récolte de votre nouveau fermier... Ce n'est pas nourrissant, mais le cœur y est... Voilà, madame... *(A Naïs.)* Tiens, ça c'est pour toi, Naïs, un souvenir. Ça durera pas longtemps : c'est pas des fleurs de la ville... Elles font tout ce qu'elles peuvent pour être belles : mais il leur manque l'instruction.

Mme ROSTAING

Merci, Toine... On m'a donné beaucoup de fleurs dans ma vie. Celles-ci ne sont pas les plus jolies, mais ce sont certainement les plus belles.

Toine remonte vers Frédéric au volant.

TOINE

Alors, bonne santé. Frédéric, tu as tout pour toi. Tout. Tâche de ne pas perdre rien. Ça, c'est le plus difficile. Quand vous reviendrez ici, peut-être dans un an, peut-être dans deux ans, vous trouverez Toine sur le portail, et Naïs, peut-être, je lui dirai vous.

ROSTAING

Pourquoi?

TOINE

Parce qu'elle viendra de la ville, monsieur
Rostaing. De la ville, la ville, c'est plus fort que
nous. *(Le moteur démarre, Toine lâche la voi-*
ture.) Bon voyage, messieurs dames! Et merci!
(La voiture s'éloigne.) Merci, merci...

Il regarde partir la voiture, longuement.

ELZÉAR

Eh voilà! Ils sont partis. Et toi, où tu vas
maintenant?

TOINE

Je ne sais pas. Je vais réfléchir.

ELZÉAR

Moi, je descends au village. Viens avec moi.
Je t'offre un pastis.

TOINE

Si tu veux. *(Il ferme le portail à clef.)*

ELZÉAR

Oou! Maintenant, tu as la clef, tu es le caïd.

TOINE

Tu penses! Malheureusement, cette porte, je la ferme sur personne.

Ils descendent tous les deux sans mot dire.

UNE ÉGLISE DE CAMPAGNE

Toine arrive devant la petite église, un cierge à la main. Il entre en se découvrant, prend l'eau bénite, et se dirige vers la petite chapelle de saint Pierre, allume son cierge à une bougie, et le fixe. Il s'agenouille ensuite face à l'autel, sur un prie-Dieu, et prie.

TABLE

BIBLIOGRAPHIF

1926. *Les Marchands de gloire*. En collaboration avec Paul Nivoix, Paris, L'Illustration.
1927. *Jazz*. Pièce en 4 actes, Paris, L'Illustration, Fasquelle. 1954.
1931. *Topaze*. Pièce en 4 actes, Paris, Fasquelle.
   Marius. Pièce en 4 actes et 6 tableaux, Paris, I asquelle.
1932. *Fanny*. Pièce en 3 actes et 4 tableaux, Paris, Fasquelle.
   Pirouettes. Paris, Fasquelle (Bibliothèque Charpentier).
1935. *Merlusse*. Texte original préparé pour l'écran, Petite Illus-tration, Paris, Fasquelle, 1936.
1936. *Cigalon*. Paris, Fasquelle (précédé de *Merlusse*).
1937. *César*. Comédie en deux parties et dix tableaux, Paris, Fasquelle.
   Regain. Film de Marcel Pagnol d'après le roman de Jean Giono (Collection « Les films qu'on peut lire »), Paris-Marseille, Marcel Pagnol.
1938. *La Femme du boulanger*. Film de Marcel Pagnol d'après un conte de Jean Giono, « Jean le bleu », Paris-Marseille, Marcel Pagnol, Fasquelle, 1959.
   Le Schpountz. Collection « Les films qu'on peut lire », Paris-Marseille, Marcel Pagnol, Fasquelle, 1959.
1941. *La Fille du puisatier*. Film, Paris, Fasquelle.
1946. *Le Premier Amour*. Paris, Éditions le 'a Renaissance. Illustrations de Pierre Lafaux.
1947. *Notes sur le rire*. Paris, Nagel.

Discours de réception à l'Académie française, le 27 mars 1947, Paris, Fasquelle.

1948. *La Belle Meunière.* Scénario et dialogues sur des mélodies de Franz Schubert (Collection « Les maîtres du cinéma »), Paris, Éditions Self.

1949. *Critique des critiques.* Paris, Nagel.

1953. *Angèle.* Paris, Fasquelle.
Manon des Sources. Production de Monte-Carlo.

1954. *Trois lettres de mon moulin.* Adaptation et dialogues du film d'après l'œuvre d'Alphonse Daudet, Paris, Flammarion.

1955. *Judas.* Pièce en 5 actes, Monte-Carlo, Pastorelly.

1956. *Fabien.* Comédie en 4 actes, Paris Théâtre 2, avenue Matignon.

1957. *Souvenirs d'enfance.* Tome I : La Gloire de mon père. Tome II : Le Château de ma mère, Monte-Carlo, Pastorelly.

1959. *Discours de réception de Marcel Achard à l'Académie française et réponse de Marcel Pagnol,* 3 décembre 1959, Paris, Firmin Didot.

1960. *Souvenirs d'enfance.* Tome III : Le Temps des secrets, Monte-Carlo, Pastorelly.

1963. *L'Eau des collines.* Tome I : Jean de Florette. Tome II : Manon des Sources, Paris, Éditions de Provence.

1964. *Le Masque de fer.* Paris, Éditions de Provence.

Traductions

1947. William Shakespeare, *Hamlet.* Traduction et préface de Marcel Pagnol, Paris, Nagel.

1958. Virgile, *Les Bucoliques.* Traduction en vers et notes de Marcel Pagnol, Paris, Grasset.

Éditions illustrées par Albert Dubout. Lausanne, Kaeser, Éditions du Grand chêne, 1949-1952 : *Topaze, Marius, Fanny, César.*
Œuvres dramatiques. Théâtre et cinéma, Gallimard, 1954, 2 volumes.

Œuvres complètes. Éditions de Provence, 6 volumes (1964-1973).

I. — Les Marchands de gloire, Topaze (1964).
II. — Marius, Fanny (1965).
III. — Cinématurgie de Paris, César, Merlusse (1967).
IV. — Judas, Fabien, Jofroi (1968).
V. — La gloire de mon père, Pirouettes, Discours d'inauguration du lycée Marcel Pagnol.
VI. — La Femme du boulanger, Regain, Critique des critiques (1973).

Édition illustrée par Suzanne Ballivet, Pastorelly.

1969 : *Marius;* 1970 : *Fanny, César;* 1971 : *Jean de Florette, Manon des Sources;* 1972 : *Topaze;* 1973 : *Regain;* 1974 : *Angèle.*

« Les Chefs-d'œuvre de Marcel Pagnol », Éditions de Provence, 1973-1974 (15 volumes).

Achevé d'imprimer le 27 juillet 1979
sur les presses de l'Imprimerie Bussière
à Saint-Amand (Cher)

Presses
Pocket

Presses
Pocket
8 rue Garancière
75006 Paris
tél. 329 12 80

— Nº d'édit. 1262. — Nº d'imp. 1325. —
Dépôt légal : 3ᵉ trimestre 1977.
Imprimé en France